한국 인권문제

국제사면위원회 방한 및 대응 1

한국 인권문제

국제사면위원회 방한 및 대응 1

한국학술정보

| 머리말

일제 강점기 독립운동과 병행되었던 한국의 인권운동은 해방이 되었음에도 큰 결실을 보지 못했다. 1950년대 반공을 앞세운 이승만 정부와 한국전쟁, 역시 경제발전과 반공을 내세우다 유신 체제에 이르렀던 박정희 정권, 쿠데타로 집권한 1980년대 전두환 정권까지, 한국의 인권은 이를 보장해야 할 국가와 정부에 의해 도리어 억압받고 침해되었다. 이런 배경상 근대 한국의 인권운동은 반독재, 민주화운동과 결을 같이했고, 대체로 국외에 본부를 둔 인권 단체나 정치로부터 상대적으로 자유로운 종교 단체에 의해 주도되곤 했다. 이는 1980년 5 · 18광주민주화운동을 계기로 보다 근적인 변혁을 요구하는 형태로 조직화되었고, 그 활동 영역도 정치를 넘어 노동자, 농민, 빈민 등으로 확대되었다. 이들이 없었다면 한국은 1987년 군부 독재 종식하고 절차적 민주주의를 도입할 수 없었을 것이다. 민주화 이후에도 수많은 어려움이 있었지만, 한국의 인권운동은 점차 전문적이고 독립된 운동으로 분화되며 더 많은 이들의 참여를 이끌어냈고, 지금까지 많은 결실을 맺을 수 있었다.

본 총서는 1980년대 중반부터 1990년대 초반까지, 외교부에서 작성하여 30여 년간 유지했던 한국 인권문제와 관련한 국내외 자료를 담고 있다. 6월 항쟁이 일어나고 민주화 선언이 이뤄지는 등 한국 인권운동에 많은 변화가 있었던 시기다. 당시 인권문제와 관련한 국내외 사안들, 각종 사건에 대한 미국과 우방국, 유엔의 반응, 최초의 한국 인권보고서 제출과 아동의 권리에 관한 협약 과정, 유엔인권위원회 활동, 기타 민주화 관련 자료 등 총 18권으로 구성되었다. 전체 분량은 약 9천여 쪽에 이른다.

2024년 3월
한국학술정보(주)

| 일러두기

· 본 총서에 실린 자료는 2022년 4월과 2023년 4월에 각각 공개한 외교문서 4,827권, 76만 여 쪽 가운데 일부를 발췌한 것이다.

· 각 권의 제목과 순서는 공개된 원본을 최대한 반영하였으나, 주제에 따라 일부는 적절히 변경하였다.

· 원본 자료는 A4 판형에 맞게 축소하거나 원본 비율을 유지한 채 A4 페이지 안에 삽입하였다. 또한 현재 시점에선 공개되지 않아 '공란'이란 표기만 있는 페이지 역시 그대로 실었다.

· 외교부가 공개한 문서 각 권의 첫 페이지에는 '정리 보존 문서 목록'이란 이름으로 기록물 종류, 일자, 명칭, 간단한 내용 등의 정보가 수록되어 있으며, 이를 기준으로 0001번부터 번호가 매겨져 있다. 이는 삭제하지 않고 총서에 그대로 수록하였다.

· 보고서 내용에 관한 더 자세한 정보가 필요하다면, 외교부가 온라인상에 제공하는 『대한민국 외교사료요약집』 1991년과 1992년 자료를 참조할 수 있다.

| 차례

정리보존문서목록					
기록물종류	일반공문서철	등록번호	29179	등록일자	2008-06-19
분류번호	736.21	국가코드		보존기간	영구
명 칭	A.I.(국제사면위원회) 대표단 방한, 1990				
생 산 과	국제연합과	생산년도	1990~1990	담당그룹	
내용목차	* 대표단 - Paul Hoffman 전 미주지역 A.I.지부장 1990.10.21-29 - Franoise Vandale A.I. 본부 한국담당관 1990.10.11-29				

0001

관리 번호	90-343

원 본

외 무 부

종 별 :

번 호 : UKW-0360　　　　일 시 : 90 2223 1140

수 신 : 장관(국연,구일) 사본: 오재희대사

발 신 : 주 영 대사대리

제 목 : A.I.대표단 파견

연: UKW-0197

대: 국연 2031-81(90.1.22)

1.A.I. 사무총장 IAN MARTIN 은 90.2.20 자 당관 최공사 앞 서한에서 대호 설명자료에 대하여 하기 요지 논평함

가. 한국정부의 설명자료는 지금까지 A.I. 가 한국정부로 부터 받은 서면 답변중 가장 광범위한 것으로서 조만간 전세계 A.I. 회원들에게 배포될 것임

나. 현 한국정부에 의해 작년 4 월 이전의 인권개선을 A.I. 가 인정하고 있다는 점을 강조하며, 한국정부가 실정법에 따라 폭력행위에 대한 처벌 권리를 가지고 있다는데도 이견이 없음

다. 그러나 상이한 정치적 의견을 평화적으로 피력할 권리를 제한하는데 이용되어온 국가보안법과 같은 실정법도 있다는 것이 A.I. 의견임

라. 고문이나 가혹행위 혐의가 적법한 사법 절차에 의거, 조사되어야 한다는 한국정부의 논평 내용에 동의하며, 예컨데 한국신문의 보도에 따르면 89.12 서경원 사건과 관련 서울지법 판결시 재판정은 방양균에 대한 고문 가능성을 배제하지 않았는바, 검찰이 그후 동 고문 혐의를 조사했는지, 그결과는 무엇이었는지를 알고자 함

마. 삼일절등 가까운 장래에 있을 장기수 석방계획을 환영하며, 정치활동 때문에 구금된 모든 사람들이 금번 사면의 혜택을 받을 수 있기를 희망함

2. 상기 서한은 또한 아래와 같이 제반 인권문제와 구체적인 사건에 관한 아국정부와의 협의를 위해 3,4 월중 A.I. 대표단의 파한을 제의하면서 아측의 동의 여부를 알려줄것을 요망하고 있으니 검토 회시바람

가. 의견교환의 실질적 성과를 위해서 경찰, 안기부, 검찰, 기타 법 집행기관의 관리를 면담코자 하며 외무부 유엔과를 방문코자 함

국기국　차관　1차보　구주국　구주국　법무부　공보처

PAGE 1　　　　90.02.24 05:49

외신 2과 통제관 CW

0002

나. 경찰 및 안기부와는 집시법 시행의 실제적 측면, 다중규제 및 강제력 사용에 관한 경찰 법규, 피의자 심문 법규 및 절차와 구금상황, 피구금자의 인권보호를 위한 조치, 인권을 위한 인적자원 양성, 고문 및 가혹행위 혐의의 조사와고문 및 가혹행위자의 처벌 방안에 관해서 협의하기를 희망함

다. 검찰 및 법무부 관계자들과는 인권침해를 방지하기 위한 법 집행기관의감독절차, A.I. 보고서에 언급된 김동환, 서경원, 방양균, 홍성담등의 고문 및가혹행위 혐의에 관한 조사 사례, A.I. 보고서에 언급된 사건중 검찰이 양심수가 아니라고 보는 사례등에 관해 협의하기 바람.

3. 상기 서한은 2.27.(화) 발송 파편 송부하겠음. 끝

(대사대리 최근배-국장)

예고: 90.12.31. 일반

PAGE 2

기 안 용 지

분류기호 문서번호	국연 2031-541	(전화 :)	시 행 상 특별취급	
보존기간	영구·준영구. 10. 5. 3. 1.	장 관		
수 신 처 보존기간				
시행일자	1990. 2. 26.			

보조기관	국 장	전결	협조기관		문서통제
	과 장				1990. 2. 27 통제관
기안책임자	황순택				발송인

경 유 수 신 참 조	수신처 참조	발신명의		1990. 2. 27
제 목	국제사면위 대표단 방한 희망			

1. 국제사면위(Amnesty International)는 90.2.20자 주영국 대사관 최근 배 공사앞 서한을 통하여 최근 별첨 A.I의 아국 인권 보고서에 대한 정부의 설명자료에 대해 아래 요지로 논평하면서, 금년 3,4월중 아국의 제반 인권 문제와 구체적 사건에 관한 협의를 위해 A.I대표 단이 방한, 귀부 및 법무부, 검찰, 당부관리 면담을 희망하여 왔습니다.

2. ~~국제사면위는 동 대표단 방한시 아국의~~

집시법 시행 측면, 공권력 사용에 관한 경찰 법규, 피의자 심문 법규, 절차 및 구금상황, 피구금자 인권 보호를 위한 조치, 인권을 위한

/ 계속 /

1505-25(2-1) 일(1)갑 85. 9. 9. 승인

190mm×268mm 인쇄용지 2급 60g/m² 가 40-41 1986. 2. 13.

0004

인적자원 양성 실태, 고문 및 가혹행위 혐의의 조사 및 처벌

방안등에 관하여 구체적 협의를 희망~~하여 왔읍니다.~~ 하고 있읍니다.

3. 상기 A.I 의 방한 제의에 대한 회신에 필요 하니

귀부의 동 A.I 대표단 면담 수락여부 및 면담 가능 시기등에

대하여 적의 검토하여 3.10한 당부로 결과 회보하여 주시기

바랍니다.

- 아 래 -

가. 한국정부의 설명자료는 지금까지 A.I 가 한국정부로

부터 받은 서면 답변중 가장 광범위한 것으로서 조만간

전세계 A.I회원들에게 배포될 것임.

나. 현 한국정부에 의해 작년 4월 이전의 인권개선을 A.I 가

인정하고 있다는 점을 강조하며, 한국정부가 실정법에

따라 폭력행위에 대한 처벌 권리를 가지고 있다는데도

이견이 없음

다. 그러나 상이한 정치적 의견을 평화적으로 피력할

권리를 제한하는데 이용되어온 국가보안법과 같은

실정법도 있다는것이 A.I 의견임. / 계속 /

0005

라. 고문이나 가혹행위 혐의가 적법한 사법 절차에

의거, 조사되어야 한다는 한국정부의 논평

내용에 동의하며, 예컨데 한국신문의 보도에 따르면

89.12 서경원 사건과 관련 서울지법 판결시 재판정은

방양균에 대한 고문 가능성을 배제하지 않았는 바,

검찰이 그후 동 고문 혐의를 조사했는지, 그 결과는

무엇이었는지를 알고자 함.

마. 삼일절등 가까운 장래에 있을 장기수 석방계획을

환영하며, 정치활동 때문에 구금된 모든 사람들이

금번 사면의 혜택을 받을 수 있기를 희망함.

첨부 : 1. 최근 A.I보고서 2부.

2. 정부 설명자료 1부. 끝.

예고 : 90.12.31. 일반 일반문서로 재분류(90.12.31)

수신처 : 국가안전기획부장, 치안본부장

1505-25(2-2) 일(1)을 "내가아낀 종이 한장 늘어나는 나라살림" 190㎜×268㎜ 인쇄용지 2급 60g/㎡
85. 9. 9. 승인 가 40-41 1988. 9. 23

0006

관리번호 90-382

주 영 대 사 관

영국(정) 723- 22　　　　1990.2.26.

수신 : 장관

참조 : 국제기구조약국장

제목 : A.I. 대표단 파한

연 : UKW-0360

연호 A.I. 사무총장의 당관 최공사앞 서한을 별첨 송부합니다.

첨부 : 동 서한 사본. 끝.

예고 : 1990.12.31. 일반

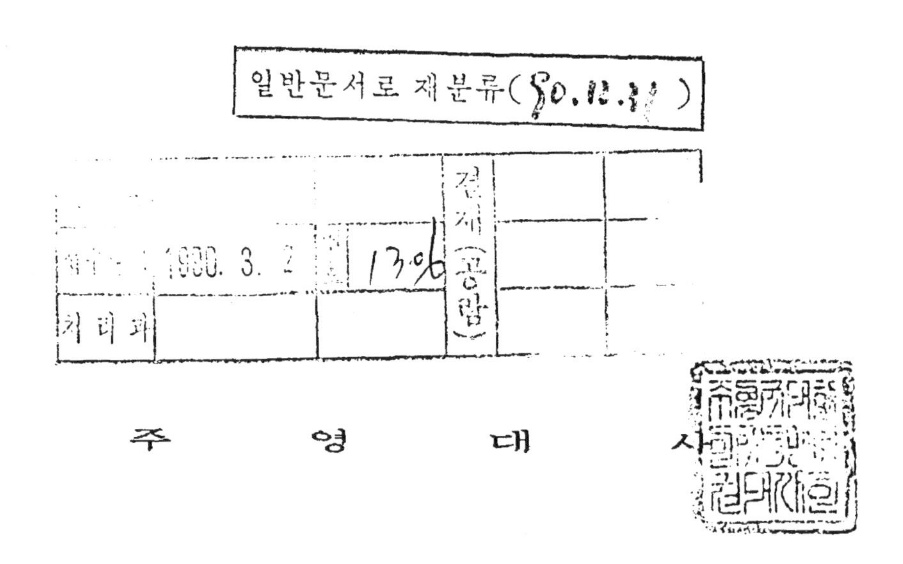

일반문서로 재분류(90.12.31)

주 영 대 사

0007

INTERNATIONAL SECRETARIAT
1 Easton Street London WC1X 8DJ
United Kingdom

TG ASA 25/90.4

Minister Keun Bae Choi
Embassy of the Republic of Korea
4 Palace Gate
London W8 5NF

20 February 1990

Dear Mr Choi,

I am writing to thank you for visiting our offices at the end of January and conveying to us your government's comments on the reports Amnesty International issued on 17 January. As I said at our meeting, we welcome comments from the governments concerned about human rights issues or cases of political prisoners we raise with them. In this respect, the Comments by the Republic of Korea on Amnesty International's Human Rights Report were the most extensive written reply Amnesty International has received from the Government of the Republic of Korea. The text of these Comments will shortly be distributed to our membership worldwide.

After attentively reading your government's Comments, I would like to emphasize that Amnesty International has acknowledged the improvements in the protection of human rights introduced by the current administration before last April, when the decision was made to arrest a number of dissidents. Moreover, we do not question the right of the Government of the Republic of Korea to arrest and prosecute people for violent acts. As I pointed out to you, the prisoners Amnesty International regards as prisoners of conscience constitute a small proportion of the hundreds of people who were arrested on political grounds last year.

We take note of your government's statement that all prisoners held on political grounds have been convicted of violating the laws of the Republic of Korea, and that Amnesty International's conclusion that they are prisoners of conscience is the result of a misunderstanding on our part. However, we have described in our reports the facts on which we based our conclusion that some prisoners are prisoners of conscience. Should the reasons for their arrest prove to be different and the people concerned be shown to have used or advocated violence or to have engaged in espionage, as this offence is internationally understood, we would certainly be prepared to reconsider our decision to call for their release. While it is the case that most political prisoners may have violated national laws, our view, made known to the Government of the Republic of Korea for a number of years, is that laws such as the National Security Law have been unduly used to restrict the rights peacefully to hold and express different political opinions. Current discussions within the National Assembly would seem to suggest that a significant section of opinion within the Republic of Korea consider that the National Security Law may be in need of amendment.

Your government's Comments point out that the Amnesty International

☎ 01-833 1771 Telegrams: Amnesty London WC1 Telex: 28502 Fax: 01-956 1157

Amnesty International is an independent worldwide movement working impartially for the release of all prisoners of conscience, fair and prompt trials for political prisoners and an end to torture and executions. It is funded by donations from its members and supporters throughout the world. It has formal relations with the United Nations, Unesco, the Council of Europe, the Organization of African Unity and the Organization of American States.

report contains erroneous figures. As you know we issued a correction with respect to the reference to 53,116 "home search warrants." After double-checking the text of an article in the Dong-A Ilbo of 9 June on which our information was based, it appeared that an error had been made in translation and that the article was referring to a decision of the Joint Public Security Headquarters to ascertain the whereabouts of 53,116 people who had been imprisoned or investigated in previous years under the National Security Law, the Anti-Communist Law and the Law Protecting Military Secrets in order to investigate whether they had recently joined leftist organizations. The figure for the number of people arrested under the National Security Law, the Law on Assemblies and Demonstrations and labour laws in the period January to August 1989 given in your government's Comments is actually higher than the unofficial, estimated, figure we cited in our report.

We agree with the point made in your government's Comments that allegations of torture or ill-treatment should be investigated through the appropriate judicial procedures. Our report on events in 1989 refers to allegations of torture and ill-treatment made by National Assembly member Suh Kyung-won and by his aide, Pang Yan-kyun. According to Korean press reports, when delivering the court's verdict on them on 10 December 1989 the Seoul district court judge said that "overnight interrogation [of Suh Kyung-won] was inevitable because of the importance of the case" and that "in Pang Yang-kyun's case, the court cannot rule out the possibility that he was tortured by the Agency for National Security Planning". If this is accurate, we would be interested in learning whether the prosecution authorities subsequently investigated the prisoners' torture and ill-treatment allegations and what their findings were. Since we spoke with you we learned of a case where a court upheld a political prisoner's constitutional right to meet his lawyer. On 30 January a Seoul district court ruled as inadmissible prosecution evidence against dissident artist Hong Song-dam because it had been obtained during several weeks of interrogation when he was prevented from consulting his lawyers.

We welcome your government's decision to release long-term political prisoners in the near future, including on the occasion of Independence Movement Day on 1 March. We hope that this clemency measure will be extended to benefit all the people imprisoned for their peaceful political activities, including those who have not recanted their views and those who do not qualify for release on humanitarian grounds. I would be grateful if you could convey the content of this letter to the relevant officials of your government, as well as the proposal we discussed during our meeting that Amnesty International should send a delegation to Seoul to discuss those issues and individual prisoner cases with appropriate government officials. To make the exchange of views as informative as possible I would like to propose that discussions be held with the relevant officials of law enforcement agencies, including the National Police Agency, the Agency for National Security Planning, the prosecution authorities and other officials as appropriate.

Broadly-speaking, the areas the Amnesty International delegates would like to discuss with the National Police Agency and the Agency for National Security Planning are as follows: (a) practical aspects of the enforcement of the Law on Assemblies and Demonstrations; (b) police or other regulations on crowd control and police use of force in the exercise of crowd control duties and in making arrests; (c) regulations and procedures governing the interrogation of suspects and their conditions of detention; (d) measures introduced to ensure the protection of the human rights of

0009

detainees; (e) training of personnel in human rights; (f) mechanisms to investigate allegations of torture and ill-treatment and to discipline personnel found to have been involved in such abuses.

With prosecution authorities and the Ministry of Justice, with whom Amnesty International has in the past had the opportunity to discuss its concerns and various aspects of the legal system, we would like to discuss the following issues: (a) procedures for the supervision of law-enforcement agencies to prevent human rights violations; (b) instances of investigation into allegations of torture and ill-treatment, in particular the cases referred to in the Amnesty International report South Korea: Return to "Repressive Force and Torture"?, namely the cases of Kim Chong-hwan; National Assembly member Suh Kyung-won and his aide, Pang Yang-kyun; and dissident artist Hong Song-dam; (c) cases of prisoners whom the prosecution authorities contend are not prisoners of conscience, in particular cases mentioned in the recent Amnesty International reports.

Amnesty International's delegates would also wish to pay a courtesy visit to the United Nations Division in the Ministry of Foreign Affairs, with which we have had discussions in the past about the ratification of international human rights treaties.

It should be possible for Amnesty International delegates to visit Seoul in March or April. I would be grateful if you could let me know if the above proposal is agreed to by your government and if further information is required.

Looking forward to hearing from you.

Yours sincerely,

Ian Martin
Secretary General

0010

관리번호 Pu 3104

기 안 용 지

분류기호 문서번호	국연 2031-325 (전화 :)		시 행 상 특별취급	
보존기간	영구·준영구. 10. 5. 3. 1.	장 관		
수 신 처 보존기간				
시행일자	1990. 3. 7.			

보조기관		협조기관	문 서 통 제
국 장	전 결		
과 장			
			발 송 인
기안책임자	황 순 택		

경 유 수 신 참 조	수신처 참조	발신명의	
제 목	A.I 대표단 방한 희망		

연 : UKW-0360

국연 2031-511(90.2.26)

연호 A.I 측의 대표단 방한 희망 관련, 동 A.I 사무총장의 주영대사관 최근 백 공사앞 서한을 별첨 송부하니, ~~장관~~ 면담 수락 여부 및 면담 가능 시기등을 검토, 조속 결과 회보하여 주시기 바랍니다.

/ 계속 /

1505-25(2-1) 일(1)갑
85. 9. 9. 승인

190㎜×268㎜ 인쇄용지 2급 60g/㎡
40-41 1986. 2. 13.

0011

첨 부 : 상기서한 사본 1부. 끝.

예 고 : 00.12.31. 일반

수신처 : 법무부장관(법무실장), 국가안전기획부장, 치안본부장

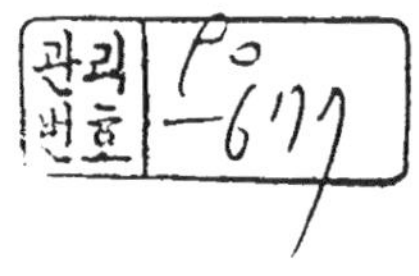

유엔 회신 - 검토 대회

주 영 대 사 관

영국(정) 723- 30 1990.3.20.

수신 : 장관

참조 : 국제기구조약국장

제목 : A.I. 서한송부

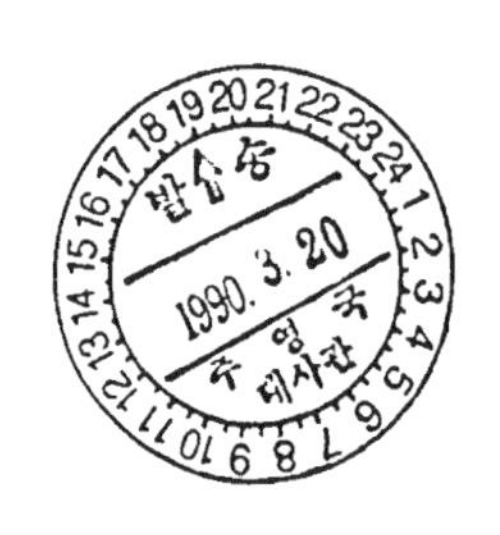

연 : UKW-0443

연호 당관 최공사의 L. COX 국제사면위 사무차장 면담후에 동 사무차장은 별첨 서한을 통하여 면담시 언급한 내용을 확인함과 동시에 A.I. 대표단의 방한 시기와 가능한 면담인사를 알려 주기를 요청하고 있는 바, 이를 참고하시어 본부 지침을 회시해 주시기 바랍니다.

첨부 : 동 서한사본 1부. 끝.

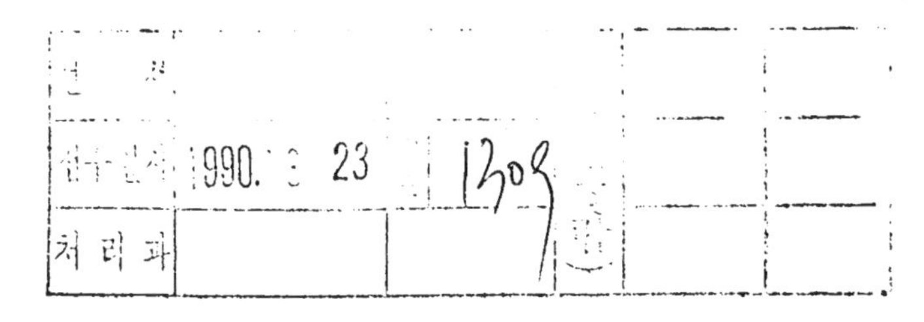

주 영 대

일반문서로 재분류(90.12.31)

0013

INTERNATIONAL SECRETARIAT
1 Easton Street London WC1X 8DJ
United Kingdom

TG ASA 25/90.5

Minister Keun Bae Choi
Embassy of the Republic of Korea
4 Palace Gate
London W8 5NF

9 March 1990

Dear Mr Choi,

Thank you for again for visiting us. We have often had contacts with your embassy in the past but I agree with you that we should aim to meet more regularly, at least whenever important matters have to be discussed.

I hope I answered all your questions about our "electronic news release" of 23 February 1990. We distribute such "electronic news releases" whenever relevant film footage is available and we feel it can help us publicize our concerns. The "electronic news release" on South Korea was prepared some time ago and we decided not to withdraw it as our concerns had not significantly changed by mid-February. In recent months we have also released "electronic news releases" on Brazil, Turkey, Peru and Chad.

As I said at our meeting we are delighted that Soh Sung was released in the amnesty commemorating Independence Day. He has been imprisoned for almost 19 years and for most of these years Amnesty International has been calling for his release. The list you gave us with the names of the 22 prisoners released under the amnesty was very useful to update our records, although most of those freed had not been taken up by Amnesty International, either for lack of information or because there were no grounds to consider them prisoners of conscience. We hope that all remaining prisoners of conscience will be released in future amnesties, which the statement of the Ministry of Justice on the occasion of this last amnesty suggests may be forthcoming.

We still wish to send a delegation to Seoul to meet government officials, including representatives of law enforcement agencies, to discuss issues affecting the protection of human rights, as outlined in our Secretary General's letter to you of 20 February. The composition of our delegation will be decided once we know what meetings can be arranged, but the delegation will include individuals well-informed about the work of Amnesty International and about different legal systems.

☎ 01-833 1771 Telegrams: Amnesty London WC1 Telex: 28502 Fax: 01-956 1157

0014

Amnesty International is an independent worldwide movement working impartially for the release of all prisoners of conscience, fair and prompt trials for political prisoners and an end to torture and executions. It is funded by donations from its members and supporters throughout the world. It has formal relations with the United Nations, Unesco, the Council of

I look forward to hearing from you about your government's reaction to our proposal for such talks. We still remain, of course, pleased to see you anytime you would wish to.

I enclose, for your information, a copy of a document sent to our members at the end of February, which updates the information in the documents we issued on 17 January.

Yours sincerely,

Larry Cox
Deputy Secretary General

0015

EXTERNAL

AI Index: ASA 25/16/90
Distr: SC/CC/CO/GR

Amnesty International
International Secretariat
1 Easton Street
London WC1X 8DJ
United Kingdom

23 February 1990

POLITICAL IMPRISONMENT, TORTURE AND THE DEATH PENALTY IN SOUTH KOREA

UPDATE 3

Long Sentences for National Security Law Violators

Hong Song-dam

On 30 January 1990, artist Hong Song-dam was sentenced to seven years' imprisonment by the Seoul District Court. He was convicted of having sent to North Korea photographic slides of a painting created by himself and a group of other artists depicting scenes representing various popular movements in South Korea from the late 19th century to the 1980s. He was also accused of sending political magazines to North Korea which the authorities claim contained "national secrets".

For further information please see AI circular ASA 25/14/90 - February 1990
Appeals Group VI - artists

Im Su-kyong, Fr Moon Kyu-hyun and Kim Chin-yop

On 5 February 1990 Im Su-kyong and Fr Moon Kyu-hyun were sentenced by the Seoul District Court to lengthy prison terms under the National Security Law for illegally going to North Korea and for activities which the South Korean authorities claim "praised or benefitted" North Korea. Im Su-kyong was sentenced to ten years' imprisonment; Fr Moon Kyu-hyun to eight years. Both were arrested on 15 August 1989 after they returned to South Korea by crossing the demarcation line between North and South Korea at the Demilitarized Zone. In addition to the charges of visiting North Korea without authorization, Im Su-kyong and Fr Moon Kyu-hyun were convicted of having, on North Korea's orders, publicly expressed support for the north's view on Korean reunfication and on the withdrawal of United States troops from South Korea.

On 20 February, Kim Chin-yop, a christian missionary who was arrested in September 1989 on charges of helping Im Su-kyong go to North Korea, was sentenced by the Seoul District Court to two years' imprisonment.

For further information please see AI circular ASA 25/43/89 pages 26-29
Appeals Groups I - students, XII women and XIII youths (Im)
Appeals Group VII - religious people (Moon and Kim)

0016

Rev Moon Ik-hwan and Yu Won-ho's Sentences Reduced

On 20 February 1990 the Seoul High Court commuted Rev Moon Ik-hwan's and Yu Won-ho's ten year prison terms to seven years' each. The defendants were arrested in April 1989 on their return from an illegal visit to North Korea.

For further information please see AI circular ASA 25/43/89 pages 16-18
Appeals Group VII - religious people

Prisoners Released

Lee Bu-yong

The two year sentence imposed on Lee Bu-yong, co-chairperson of the dissident organization, Chonminnyon, was reduced to one year's imprisonment by an appeal court on 5 February 1990. Although Lee Bu-yong was arrested in April 1989, the appeal court judge ruled that a previous three month term of imprisonment served by the defendant in 1987 should be taken into account, and ordered that he be released immediately after the appeal hearing.

For further information please see AI circular ASA/43/89 page 19
Appeals Group IX - Political activists

Kim Chi-son, Yu So-jong and Shin Hyon-kyong

Amnesty International has received delayed information that Kim Chi-son, Yu So-jong and Shin Hyon-kyong, all arrested in July 1989 on charges of helping finance Im Su-kyong's trip to North Korea, were freed following their trial in November 1989. They were released after the ruling judge acquitted them of the charges of financial aid for Im Su-kyong, but were each sentenced to one year's imprisonment with execution suspended for two years for distributing leaflets supporting South Korean student participation in the World Festival of Youth and Students.

For further information see AI circular ASA 25/43/89 page 29.
Appeals Groups I - students, XII - women and XIII - youths

Park Tae-hun

Another student arrested for his alleged involvement in helping Ms Im Su-kyong go to North Korea, Park Tae-hun, was released on a one year sentence suspended for one year in January 1990. He had been arrested in August 1989.

Appeals Group I - students

Dissident Labour Activists Under Threat of Arrest - Choi Kap-chol

Choi Kap-chol, a geology student, was arrested on 22 January 1990 during a police raid on the inaugural meeting of a dissident trade union organization, Chonnohyop, at Sungkyunkwan University in Seoul. Choi Kap-chol may be charged under the National Security Law for membership of an "anti-state" organization. Choi Kap-chol appears to be detained solely for his support for Chonnohyop and not to have used or advocated violence.

0017

Amnesty International considers him to be a prisoner of conscience detained for the peaceful exercise of his rights to freedom of expression and association and is calling for his release.

Since July 1987 when the government agreed to implement democratic reforms, the number of trade unions, both those affiliated to the conservative Federation of Korean Trade Unions (FKTU) and independent unions, increased dramatically and the country saw a wave of labour unrest. Unions generally secured wage increases for their members, but according to the FKTU the average increase of 17.9% they had obtained in 1989 was offset by an increase in the cost of living for the same period of 17.3%. The majority of the strikes in 1989 were illegal as the workers had ignored the procedures laid down in the Labour Dispute Arbitration Law.

Before the July 1987 liberalization measures most unions were company-based and closely controlled by management. The independent unions which subsequently emerged had the support of the most important dissident groups and of various student organizations. The unions set up links at the regional level and in December 1988 formed the National Council of Regional and Industrial Trade Unions Association (NCRITUA). Throughout 1989 the Council organized a series of demonstrations to call for the amendment of laws that restrict labour rights, support colleagues on strike, and protest at restrictions of trade union activities.

In October 1989 the NCRITUA decided to form a national trade union association, Chonnohyop. Its proposed platform was said to call for wage increases, a 44-hour work week, improvements of work conditions, amendment of labour laws and cooperation with dissident organizations. Chonnohyop was reported to expect around 170,000 workers from 566 independent unions to be affiliated to it. From the time of the announcement in December 1989 until Chonnohyop was inaugurated on 22 January 1990, the authorities made a number of statements describing it as a "leftist" and illegal organization and said that those involved in its activities would be charged with violating labour laws which ban third party intervention in labour disputes. The authorities also said that Chonnohyop's planned activities - mostly its call for wage increases - would have a "catastrophic" impact on the country's economy which was already adversely affected by high currency exchange rates and restrictions imposed on Korean imports by a number of Western countries. The authorities announced new guidelines for labor-management negotiations and a series of measures to stabilize wages, prevent strikes and ban strikes in key industries and those that include "political demands".

On 30 December, an arrest warrant was issued against Dan Byung-ho, the leader of Chonnohyop's preparatory committee. (Amnesty International had adopted him as a prisoner of conscience during his detention from April to August 1989 for his involvement in labour disputes.) Dan Byung-ho subsequently went into hiding, but he attended the inauguration of Chonnohyop 22 January 1990 where he was chosen president.

The inaugural ceremony was held in the auditorium of Sungkyunkwan University and was attended by some 400 workers and 200 students. The meeting started at 12.40 pm, but ended 20 minutes later when 600 riot police entered the university, firing teargas, and arrested some 100 participants, including Choi Kap-chol. Thirty students are said to have resisted arrest by police in the university library by hurling chairs at them.

0018

Letters from Prison

Reproduced below are excerpts from letters written in January 1990 by two prisoners of conscience to Amnesty International members and well-wishers who had written to them. The excerpts describe the support and encouragement the letters gave them.

Kim Chin-yop, 15 January 1990, Seoul Detention Centre

> "The Seoul Detention Centre is one big family of about 3,000 men and women mostly awaiting or in procedure of trials. Some 300 of them are political prisoners - students, labourers, priests and academics. People with some insight into the Korean legal system soon realize that the ones imprisoned, whether for political or criminal reasons are the ones who really never had a fair go, and are truly and simply the poor and the oppressed."
>
> "... [Father Moon Kyu-hyun, who was also held in the Seoul Detention Centre] said to me that he had found true joy and thanked God that finally he was living with the people that needed him the most - the oppressed and the imprisoned. I had not seen a man with a brighter smile than this man of God confessing his courageous Christian faith..."
>
> ...
>
> "A friend had hoped in his letter that it would be a warm greeting in this cold cell. (Yes, it is cold - it gets below zero every night and everything freezes up!!) He was not just hoping. The prayerful support in the form of letters, cards (even hand-made ones, especially from Sunday school kids) are more than warm, and with over four hundred such 'heaters' my cell is gradually turning into an oven!

For details of this case see page 1 above.

Paik Ok-kwan, a prisoner of conscience arrested on charges of "espionage" in October 1975 and who is serving a 20-year sentence, wrote from Andong Prison on 22 January 1990 to an Amnesty International group:

> "..It is always a great pleasure to hear from you and many of your friends and through whom I have found my courage renewed. And to know that many people around the world, not least the Netherlands, [care] for us behind bars. Every year I only wish that I could return every one of them one by one each with a piece of my indebted mind. In the meantime it is my only consolation that you will kindly relay to them how much I am beholden to them. When the good times come, I would like to visit you as my circumstances permit. We can then have some refreshing talks, I am sure.
>
> ..
>
> In this year of the Horse, I wish you to ride it with grace and strength. Thinking of your continuous support and unchanging affection, sincerely, Paik Ok-kwan"

Appeals Group XI - espionage cases

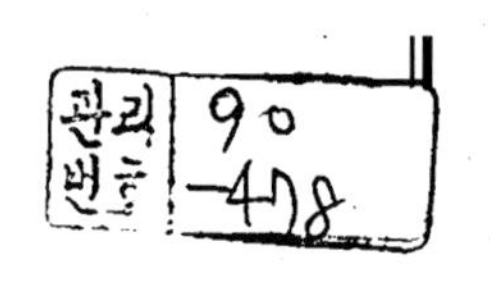

법 무 부

인권 2031-15 503-7045 1990. 3. 22.

수신 외무부장관

참조 국제기구조약국장

제목 AI대표단 방한에 따른 당부입장 회신

1. 국연 2031-325 ('90.3.7)와 관련입니다.

2. AI 의 법무부 및 대검찰청 관계자 면담에 관한 당부의 입장을 아래와 같이 회신합니다.

- 아 래 -

가. 법무부 관계자 면담

ㅇ 당부에서는 법무실장이 면담하고자 함

ㅇ 면담일시 및 장소 : 1990. 4. 17 또는 4. 20
법무실장실

나. 대검찰청 관계자 면담

ㅇ 면담한 선례가 없으며, 국제민간단체인 AI 의 활동에 대해 대검찰청에서 직접 대응하는 것은 바람직하지 않다고 판단됨

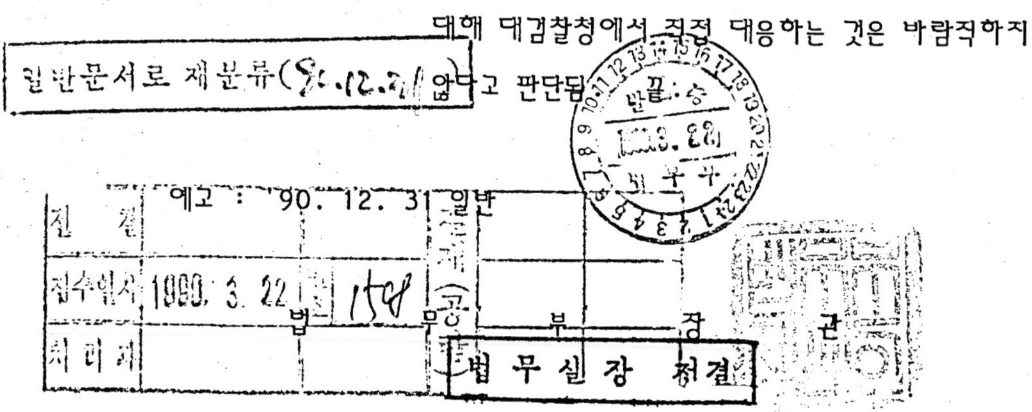

0020

90-491

내 무 부

외사 02664-236 313-7236 1990. 3. 23.

수신 외무부장관

참조 국제기구조약국장

제목 국제사면위 대표단 방한희망건 회보

1. 관련

국연 2031-511(90.2.27)

국연 2031-325(90.3.7)

2. 관련 국제사면위 대표단 방한시 당부 관계자 면담이 불가함을 회보합니다.

(예고문 : 90. 12. 31 일반문서)

전 결					
접수일시	1990. 3. 24	1515			
처리과					

치 안 본 부

일반문서로 재분류(90.12.31)

0021

관리 번호	90-517

	분류번호	보존기간

발 신 전 보

번 호 : WUK-0547 900329 1614 FA 종별 :

수 신 : 주 영 대사 . 총영사

발 신 : 장 관 (국연)

제 목 : A.I 대표단 방한

대 : UNK-0360

영국(정) 723-30 (90.3.20)

대호, A.I 대표단의 방한희망 관련 관계부처 협의 결과를 아래 통보하니, A.I 측에 적의 통보하고 (올) 결과 (및 방한단 확정시 상세 관련사항) 보고바람.

1. 면담주선

- 법무부 : 법무실장
- 외무부 : 희망시 국기국 관계관 (단, 인권규약 가입안은 지난 3.16. 국회통과 되었음을 참고바람)
- 안기부, 검찰, 경찰 : 면담 불가

2. 방한 접수 가능시기

- 90.5월경 (-6)

3. 기 타

- A.I 측에 입국시 목적외 활동 금지토록 사전 경고요

일반문서로 재분류(90.12.31)

예 고 : 90.12.31. 일반.

(국제기구조약국장 송영식)

앙고재	년월일	과	기안자		과 장		국 장	1차보	차 관	장 관
		과	황순택		(서명)		(서명)	(서명)	(서명)	

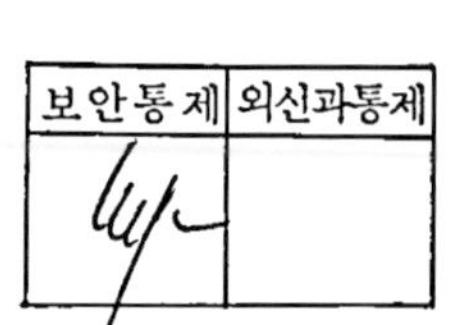

보안통제	외신과통제
(서명)	

0022

관리 번호	90-568

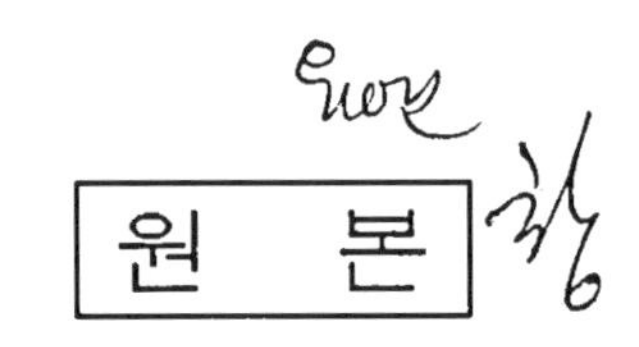

원 본

외 무 부

종 별 :

번 호 : UKW-0685 일 시 : 90 0405 1830

수 신 : 장 관(국연)

발 신 : 주 영 대사

제 목 : A.I.대표단 방한

대 WUK-0547

대호 A.I. 측에 전달한 바, A.I. 측은 수일내로 입장을 통보해 주겠다고 하였음. 끝

(대사 오재희-국장)

예고:90.12.31. 일반

일반문서로 재분류(90.12.31)

국기국 구주국

PAGE 1

90.04.06 04:48

외신 2과 통제관 DL

0023

관리번호	90-654

원 본

외 무 부

종 별 :

번 호 : UKW-0747 일 시 : 90 0417 1900

수 신 : 장관(국연)

발 신 : 주 영 대사

제 목 : A.I.대표단 방한

연:UKW-0685

대:WUK-0547

1. 대호, 아측입장에 대하여 A.I. 측은 I.MARTIN 사무총장의 최공사앞 서한을 통하여 아국정부의 A.I. 대표단 접수를 환영하면서 90.6.-7 월중 대표단 파견을 고려하고 있다고 함

2. 한편, 동 서한에서 A.I. 측은 경찰및 관련 보안기관들과의 직접 면담이 상호간의 이해심화를 위해 최선의 방법임을 강조하면서 동 기관 관계자들과의 면담을 재차 희망하여 왔으며, 이와관련 토의 희망사항을 별도 서한을 통해 전해왔는 바, 상기 2 개 서한을 4.18(수) 발 정파편 송부예정이니 검토후 본부입장 회시바람. 끝

(대사 오재희-국장)

예고:90.12.31. 일반

일반문서로 재분류(90.12.31)

국기국 구주국

PAGE 1 90.04.18 06:56

외신 2과 통제관 DO

0024

관리번호 90-877

기 안 용 지

분류기호 문서번호	국연 2031-1055 (전화 :)	시행상 특별취급	
보존기간	영구·준영구. 10. 5. 3. 1.	장 관	
수신처 보존기간			
시행일자	1990. 4. 24.		

보조기관		협조기관	문서통제
국 장	전 결		
과 장			
기안책임자	송영완		발 송 인

경유 수신 참조	국가안전기획부장	발신명의	
제 목	국제사면위(AI) 대표단 방한		

1. 판사 418-809(90.3.26) 관련입니다.

2. 국제사면위(AI)는 주영대사관 앞 서한(2부)를 통하여 90.6-7월중 대표단을 아국에 파견할 계획임을 통보하면서 동 방한기간중 아국 면담인사와의 토의희망사항을 알려왔는 바, 동 서한을 별첨 송부하오니 참고하시기 바랍니다.

첨 부 : AI 서한 사본 2부. 끝.

일반문서로 재분류(. . .)

0025

1505-25(2-1) 일(1)갑
85. 9. 9. 승인

190mm×268mm 인쇄용지 2급 60g/m²
가 40-41 1986. 2. 13.

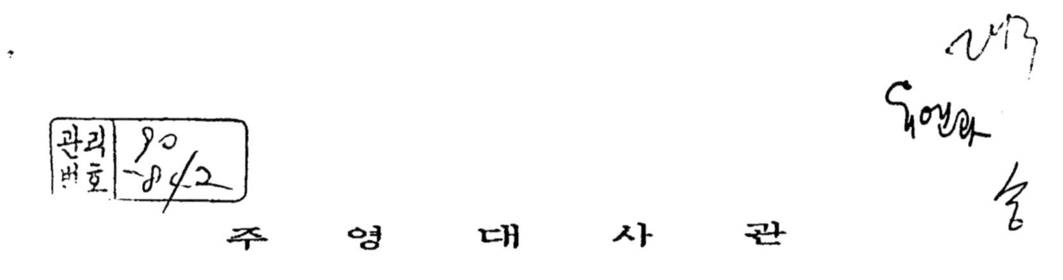

영국(정) 723-37　　　　　　　　　　　　　　　　1990.4.17.

수신 : 장관

참조 : 국제기구조약국장

제목 : A.I. 대표단 방한

연 : UKW-0747

연호 A.I.측이 당관에 보내온 2개 서한을 별첨 송부합니다.

첨부 : 동 서한 사본 각 1부.　끝.

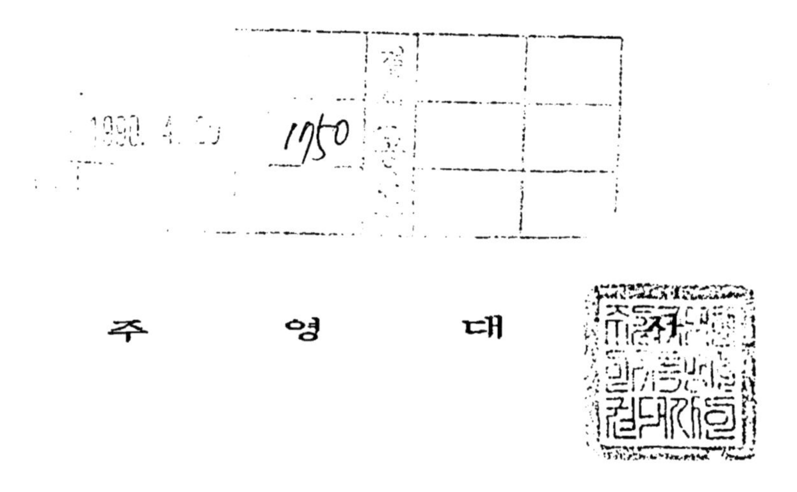

일반문서로 재분류(90.12.31)

0026

INTERNATIONAL SECRETARIAT
1 Easton Street London WC1X 8DJ
United Kingdom

TG ASA 25/90.7

Minister Keun Bae Choi
Embassy of the Republic of Korea
4 Palace Gate
London W8 5NF

10 April 1990

Dear Mr Choi,

We were pleased to learn from press reports, and to have it confirmed to us on the telephone by Mr Hwang Joon-Kook, that the Foreign Affairs-Unification Committee of the National Assembly of the Republic of Korea has, on 9 March 1990, unanimously passed a resolution to accede to the International Covenant on Economic, Social and Cultural Rights and the International Covenant on Civil and Political Rights as well as the Optional Protocol to the latter. As I wrote to President Roh Tae-woo in October 1988 on the occasion of the 40th anniversary of the Universal Declaration of Human Rights, ratification of the Covenants is in the words of the Secretary General of the United Nations, "one of the most concrete demonstrations a state can make of its commitment to human rights." We therefore welcome the forthcoming accession by the Republic of Korea to these important human rights treaties.

We understand that the National Assembly committee reserved several clauses, namely to limit the right of government employees to organize trade unions, the right to appeal in a situation of national emergency and provisions regarding the principle of not subjecting a person to double jeopardy. We also noted that a Yonhap report from Seoul dated 9 March quoted a government official as saying that the government would withdraw the reservations when the relevant national laws have been revised. We hope that these revisions will be made in the near future so that the Republic of Korea can fully recognize all the rights guaranteed under the human rights covenants.

Mr Hwang Joon-Kook has informed us that the authorities in Seoul have agreed to our request to send a delegation to Seoul and have suggested that the visit takes place in May or June. We are pleased that the authorities have accepted our request as we believe that detailed discussions could be very helpful and we are now thinking of sending a delegation in June or July. We are, however, disappointed at the apparent difficulty in arranging meetings with members of law enforcement agencies. We feel that some issues, such as training in human rights, practical safeguards during arrest, interrogation and detention, complaints procedures and mechanisms for investigation of complaints, which are not matters for which the Ministry of Justice and the Ministry of Foreign Affairs have responsibility, would be best discussed directly with representatives of the police and other security agencies. Misunderstandings or unawareness on our part of current procedures or of other factors affecting these agencies' work would also best be corrected through direct discussions. We

☎ 01-833 1771 Telegrams: Amnesty London WC1 Telex: 28502 Fax: 01-956 1157

Amnesty International is an independent worldwide movement working impartially for the release of all prisoners of conscience, fair and prompt trials for political prisoners and an end to torture and executions. It is funded by donations from its members and supporters throughout the world. It has formal relations with the United Nations, Unesco, the Council of Europe, the Organization of African Unity and the Organization of American States

0027

would be happy to submit before the meetings a list of topics for discussion, if it is thought that this would facilitate the meetings.

I would be grateful if you could convey the above to the relevant authorities in Seoul or advise me on the best ways to approach the law enforcement agencies in question to secure meetings with them for the Amnesty International delegates.

Yours sincerely,

Ian Martin
Secretary General

0028

INTERNATIONAL SECRETARIAT
1 Easton Street London WC1X 8DJ
United Kingdom

TG ASA 25/90.8

Mr Hwang Joon-Kook
Second Secretary and Consul
Embassy of the Republic of Korea
4 Palace Gate
London W8 5NF

12 April 1990

Dear Mr Hwang Joon-Kook,

I have spoken to Mr Ian Martin about the specific subjects we would like to discuss with representatives of the National Police and of the Agency for National Security Planning. I outline these below and would be grateful if you could bring them to the attention of the relevant officials in Seoul.

The main areas we would like to discuss relate to the procedures for the detention and interrogation of suspects and in particular practical measures to prevent torture and ill-treatment. On previous visits to Seoul Amnesty International delegates have had the opportunity to discuss existing legal provisions on arrest and detention procedures with officials of the Ministry of Justice. We would now like to have the opportunity to dicuss with representatives of law-enforcement agencies how these legal provisions are implemented in practice.

We propose the following areas for discussion and would, of course, welcome information on related matters that the agencies would wish to bring to our attention.

1. The Government of the Republic of Korea has on a number of occasions stated that it will not tolerate torture. How has this message been relayed to the individual officers in the police and the Agency for National Security Planning (ANSP)?

2. The Constitution of the Republic of Korea and the Code of Criminal Procedure give suspects the right to see their relatives and a lawyer of their choice. What procedures are followed by the police and the ANSP to ensure that prisoners are allowed prompt and regular access to a lawyer and to their relatives?

3. Are all the places where the police and the ANSP detain and interrogate suspects publicly recognized places of detention or are there other locations used in which prisoners are effectively held in secret? Is there a system of regular visits by independent authorities to all places where suspects are held?

☎ 01-833 1771 Telegrams: Amnesty London WC1 Telex: 28502 Fax: 01-956 1157

4. What regulations and procedures exist in relation to the process of interrogation? Are they the same for the police and the ANSP? In particular:

4.1. have procedures been introduced through which suspects are informed of their legal rights, such as the right to see a lawyer and members of their family and the right not to incriminate oneself?

4.2. what are the rules on the duration of interrogation, where and the times at which it can take place? What is the legal status of any such rules?

4.3. do the rules specify the number of interrogators who can be involved in the interrogation of a suspect at any one time and if so what do they stipulate?

4.4. what are the rules on the supervision of interrogating officers?

4.5. what records are kept about a person's detention and interrogation? To whom are these available?

4.6. are such records available to detainees or their lawyers?

4.7. are the above rules part of a public document, on which organizations like the Korean Bar Association and other civil liberties groups have commented or may comment?

5. Are there fully qualified doctors at or serving all detention centres? What are the rules under which they examine suspects and keep records of the examinations?

6. Is there a formal separation between the authorities responsible for the welfare and custody of the detained suspects and the authorities responsible for the interrogation of the suspects?

7. What training in human rights standards is given to personnel involved in the arrest, detention and interrogation of suspects?

8. What are the complaints procedures available to people held by the police and the ANSP who wish to lodge a complaint about illegalities in their detention, or torture or ill-treatment?

9. What disciplinary procedures apply when officers are alleged to have tortured or ill-treated prisoners?

When meeting representatives of the police we would like, in addition, to discuss (a) the practical aspects of the enforcement of the Law on Assemblies and Demonstrations; and (b) police regulations on crowd control and on the use of force in the exercise of crowd control duties and in making arrests.

0030

In the course of our meetings with representatives of both the police and the ANSP, we will also want to discuss the standards that the United Nations has laid down in the areas of the prevention of torture and ill-treatment of prisoners.

I hope that the above outline of the areas we would like to discuss will be helpful. If you wish to have any point clarified, do let me know.

Yours sincerely,

Fvandale

Francoise Vandale
Asia and Pacific Research Department

0031

관리번호 90-884

기 안 용 지

분류기호 문서번호	국연 2031-1056	(전화:)	시행상 특별취급	
보존기간	영구·준영구. 10. 5. 3. 1.	장 관		
수신처 보존기간				
시행일자	1990. 4. 24.			
보조기관	국 장	전결	협조기관	문서통제
	과 장			1990. 4. 26 통제관
기안책임자	송영완			발송인
경유 수신 참조	내무부장관 치안본부장	발신명의		1990. 4. 25
제 목	국제사면위(AI) 대표단 방한			

1. 외사 02664-236(90.3.23) 관련입니다.

2. 국제사면위(AI)는 주영대사관 앞 서한(2부)를 통하여

90.6-7월중 대표단을 아국에 파견할 계획임을 통보하면서 동 방한기간중

아국 면담인사와의 토의희망사항을 알려왔는 바, 동 서한을 별첨 송부

하오니 참고하시기 바랍니다.

일반문서로 재분류(1990.12.31)

첨 부 : AI 서한 사본 2부. 끝.

1505-25(2-1) 일(1)갑
85. 9. 9. 승인

190mm×268mm 인쇄용지 2급 60g/m²
가 40-41 1986. 2. 13.

0032

관리번호 90-883

기 안 용 지

분류기호 문서번호	국연 2031-1057 (전화 :)	시행상 특별취급	
보존기간	영구·준영구. 10. 5. 3. 1.	장 관	
수신처 보존기간			
시행일자	1990. 4. 24.		
보조기관 국장	전결	협조기관	문서통제 (검인 1990. 4. 26 통제관)
과장			
기안책임자	송영완		발송인

경유 수신 참조	법무부장관 법무실장	발신명의	
제목	국제사면위(AI) 대표단 방한		

1. 인권 2031-15(90.3.22) 관련입니다.

2. AI는 주영대사관 앞 서한(2부)을 통하여 90.6-7월중 대표단을 아국에 파견할 계획임을 통보하면서 동 방한기간중 귀부 법무실장과 면담시 토의 희망사항을 알려왔는 바, 동 서한을 별첨 송부하오니 참고하시기 바랍니다.

일반문서로 재분류( )

첨 부 : AI 서한 사본 2부. 끝.

1505-25(2-1) 일(1)갑
85. 9. 9. 승인

190mm×268mm 인쇄용지 2급 60g/m²
가 40-41 1986. 2. 13.

0033

연 합

원 본

관리 번호	90 -1303

(오 관리 부서협의)

외 무 부

종 별 :

번 호 : UKW-1208 일 시 : 90 0628 1400

수 신 : 장관(국연,구일,영사)

발 신 : 주 영 대사

제 목 : 국제사면위 직원 방한

1. 당지 국제사면위(A.I.)는 당관앞 서한을 통하여 동기구 국제사무국 직원인 MR. NIKHIL ROY(인도국적)가 90.7.17-7.24 간 회원증대, 행정협조등 업무 협의차 방한할 예정임을 알려오면서, 동인에 대한 입국사증 발급을 요청하여 왔음.

2. 상기 서한에 의하면 동인의 금번 방한은 아국내 인권문제와 상관이 없으며, 따라서 아국정부 관리들과의 면담도 계획된바 없다함.

3. 동인에 대해 통상적인 단기 단수비자를 발급코자 하는바, 특별한 이견 있으면 회시바람.

4. 동인의 인적사항은 아래와 같음.

생년월일: ██████

직책: A.I. 아태지역 회원 조정관

여권번호: ████

방한기록: 1990.1.(관련전보: UKW-2158)

체한중 숙소:서린호텔

국내연락처: ████████████

████████████████ 끝.

(대사 오재희-국장)

예고:90.12.31. 까지

일반문서로 재분류(90.12.31.)

국기국 구주국 영교국 안기부

PAGE 1

90.06.29 08:08

외신 2과 통제관 BN

0034

관리번호 90-1318

기 안 용 지

분류기호 문서번호	국연 2031-1661	(전화 :)	시행상 특별취급	지급
보존기간	영구·준영구. 10. 5. 3. 1.	장 관		
수신처 보존기간				
시행일자	1990. 6. 30.			

보조기관		협조기관	문서통제
국 장	전 결		검열 1990. 7. 2 통제관
과 장			
기안책임자	황순택		발송인

경유 수신 참조	법무부장관, 국가안전기획부장	발신명의		1990. 7. 2 외무부
제 목	국제사면위 직원 방한			

1. 주영국대사 보고에 의하면, 런던소재 국제사면위(A.I.)는 주영대사관 앞 서한을 통하여 동 기구 국제사무국 직원인 아래 Mr. Nikhil Roy (인도국적)가 90.7.17-24간 회원증대, 행정협조등 업무 협의차 방한할 예정임을 알려오면서, 입국사증 발급을 요청하여 왔다고 합니다.

2. 또한 동 서한에 의하면 동인의 금번 방한은 아국내 인권문제와는 무관하며, 따라서 아국정부 관리들과의 면담도 계획된 바 없다고 합니다.

/ 계속 /

1505-25(2-1) 일(1)갑 85. 9. 9. 승인

190mm×268mm 인쇄용지 2급 60g/m² 가 40-41 1986. 4. 8.

0035

3. 이와 관련, 주영대사는 동인에 대해 통상적인 단기 단수 비자를 발급코자 하는 바, 적의 검토하여 주시고 특별한 이견 있을 경우 7.7일 한 당부로 회시하여 주시기 바랍니다.

- 아 래 -

- 생년월일 : [redacted]
- 직 책 : A.I. 아.태지역 회원 조정관
- 여권번호 : [redacted]
- 방한기록 : 1990.1.
- 체한중 숙소 : 서린호텔
- 국내연락처

[redacted] 끝.

일반문서로 재분류([illegible])

1505-25(2-2) 일(1)을
85. 9. 9. 승인 "내가아낀 종이 한장 늘어나는 나라살림" 190㎜×268㎜ 인쇄용지 2급 60g/㎡
가 40-41 1989. 12. 7.

0036

외 무 부

입국 23620- 8906 503-7096 1990. 7. 7.

수신 외무부장관

참조 국제기구조약국장

제목 국제사면위 직원 방한에 대한 의견회신

1. 국연2031-1661('90.7.2)에 대한 회신입니다.

2. 국제사면위 국제사무국 직원인 인도인에 대하여 국내체류시 입국 목적이외의 활동을 하지 않는다는 조건을 붙여 입국사증을 발급함이 좋을 것으로 생각됩니다. 끝.

법 무 부 장 관

신 철			결재(공람)	
접수일시	1990. 7 10	번호		
처리과		18538		

0037

관리 번호	90-1341

	분류번호	보존기간

발 신 전 보

번 호 : WUK-1134 900711 1540 BP 종별 :

수 신 : 주 영 대사 . 총영사

발 신 : 장 관 (국연)

제 목 : A.I. 직원 방한

대 : UNW-1208

대호 A.I. 직원 방한관련, 관계부처는 동인의 국내체류시 입국목적이외 활동을 하지 않는다는 조건하에 사증발급 하는 것이 좋을것이라는 의견인 바, 적의 조치바람. 끝.

(국제기구조약국장 문동석)

일반문서로 재분류(90.12.31)

앙고재	년월일	과	기안자		과 장		국 장		차 관	장 관
							전결			

보안통제	외신과통제

0038

관리번호	90-1474

원 본

외 무 부

종 별 :

번 호 : UKW-1479 일 시 : 90 0808 1810

수 신 : 장관(국연,구일)

발 신 : 주 영 대사

제 목 : A.I. 대표단 방한

연: 영국(정) 723-37(90.4.17), UKW-1337

당지 국제사면위(A.I)의 IAN MARTIN 사무총장은 당관 최공사앞 서한을 통하여 A.I. 대표단 방한 관련사항을 통보해왔는바, 동 서한의 요지및 A.I. 측에 확인한바를 아래 보고하오니 본부입장 회시바람(동서한 파편 송부예정임)

-아래-

1. 10.22-28 기간중 법무부, 외무부및 관련기관 공무원들과의 면담희망

가. MR. PAUL HOFFMAN, A.I. 미국지부 이사(전 지부장) 겸 미국 남가주 시민자유조합 법무담당: 90.10.22 서울도착

나. MS FRANCOISE VANDALE A.I. 본부 한국담당 연구원 90.10.10 경 서울도착, 10.21 까지는 A.I. 관심대상 죄수가족 및 변호사, 인권단체등 접촉(자체적으로 접촉주선), 10.22 MR. HOFFMAN 과 합류후 관계 공무원 면담

2. 토의 희망사항은 연호 공문 (서한 2 개)과 동일

-특히 소위 양심수 관련 토의사항. 끝.

(대사 오재희-국장)

예고:90.12.31. 까지

국기국 구주국

PAGE 1

90.08.09 04:38

외신 2과 통제관 DH

0039

관리번호 90-1502

주 영 대 사 관

영국(정) 723-74 1990.8.8.

수신 : 장관

참조 : 국제기구조약국장

제목 : A.I. 대표단 방한

연 : UKW-1479

연호 A.I.측이 당관에 보내온 서한을 별첨 송부합니다.

첨부 : 동 서한사본 1부. 끝.

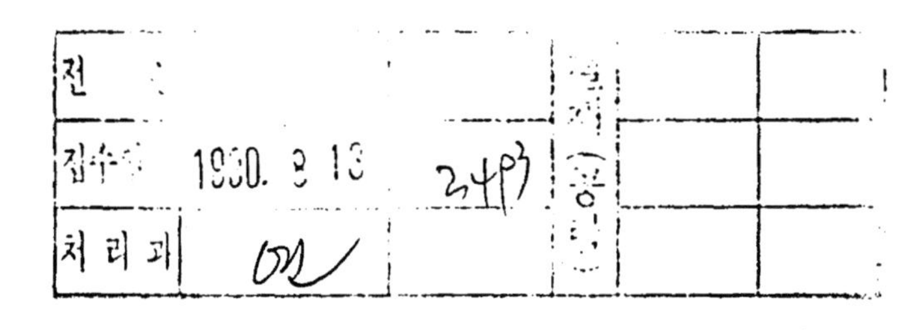

전			결재 공람		
접수	1990. 8. 13	2483			
처리과					

주 영 대 사

일반문서로 재분류(90.12.31)

0040

INTERNATIONAL SECRETARIAT,
1 Easton Street, London WC1X 8DJ,
United Kingdom.

TG ASA 25/90.11

Minister Keun Bae Choi
Embassy of the Republic of Korea
4 Palace Gate
London W8 5NF

2 August 1990

Dear Minister Choi,

I am writing to let you know the names of the people who will visit the Republic of Korea on Amnesty International's behalf later this year and the proposed dates of their visit.

Ms Francoise Vandale will arrive in Seoul around 10 October and will be joined by Mr Paul Hoffman for the period 22-28 October. Mr Hoffman is the Legal Director of the American Civil Liberties Union Foundation of Southern California and a member of the board and former chairperson of the USA Section of Amnesty International. We hope that meetings with officials of the Ministries of Justice and Foreign Affairs, and other officials as appropriate, can be arranged during Mr Hoffman's stay.

The areas the Amnesty International delegates will wish to discuss with government officials have been outlined in my previous correspondence to you and Mr Hwang Joon Kook. In particular, the delegates will be happy to receive information and discuss the cases of prisoners whose description by Amnesty International as prisoners of conscience has been challenged by the relevant authorities in Seoul.

I would be grateful if you could inform the authorities in Seoul of our plans.

Yours sincerely,

Ian Martin
Secretary General

☎ (44)(71) 413 5500 Telegrams: Amnesty London WC1 Telex: 28502 FAX: 956 1157

기 안 용 지

분류기호 문서번호	국연 2031 - 38876	(전화:)	시 행 상 특별취급	
보존기간	영구 · 준영구. 10. 5. 3. 1	장		관
수 신 처 보존기간				
시행일자	1990. 8. 13.			
보조기관 국 장	전 결	협조기관		문서통제 1990. 8. 14 검 토 관
과 장				
기안책임자	윤여철			발송인
경 유 / 수 신 / 참 조	수신처 참조	발신명의		
제 목	국제사면위 대표단 방한			

연 : 1) 국연 2031 325 (90.2.26)

2) 국연 2031 511 (90.3.7)

3) 국연 2031 1057(90.4.24)

대 : 인권 2031 15 (법무부)

판사 418 889 (안기부)

1. 국제사면위(A.I)는 연호로 통보한 대표단 방한과

관련, 아래와 같은 직원들이 파견될 것임을 주영대사관측에

//계속...

0042

알려오면서 90.10.22-28. 기간중 동인들의 아국 관련기관 관계관

들과의 면담을 희망하여 왔는 바, 이에 대한 귀부 검토 의견 및

면담시 동 가능일자를 당부에 회보하여 주시기 바랍니다.

이 래

가. Mr. Paul Hoffman

A.I. 미국지부이사(전 지부장) 겸 미국 남가주

시민자유조합 법무담당

90.10.22. 서울도착 예정

나. Ms. Francoise Vandale

A.I. 본부 한국담당 연구원

90.10.10. 서울도착 예정

동인은 10.22. Mr. Hoffman과 합류할 때까지

A.I. 관심대상 좌수가족 및 변호사.인권단체등을

개别적으로 접촉할 계획이라 함.

2. 동 대표단의 토의 희망사항은 연호(3) 공문의 동 국제사면위

서한을 참고 바랍니다.

수신처 : 법무부장관, 국가안전기획부장

0043

관리번호 90-1512

기 안 용 지

분류기호 문서번호	국연 2031-2031	(전화 :)	시행상 특별취급	
보존기간	영구·준영구. 10. 5. 3. 1.	장 관		
수신처 보존기간				
시행일자	1990. 8. 16.			

보조기관			협조기관		문서통제
	국 장	전 결			
	과 장				
기안책임자		윤 여 철			발송인

경유 수신 참조	법무부장관, 국가안전기획부장	발신명의

발송 1990. 8. 16 외무부

제 목	국제사면위 대표단 방한

연 : 국연 2031-38876 (90.8.13)

연호 국제사면위 대표단의 10월중 방한과 관련, 국제사면위측에서 주영대사관측에 보내온 서한 사본을 별첨 송부합니다.

첨 부 : 상기 서한 사본 1부. 끝.

1505-25(2-1) 일(1)갑 85. 9. 9. 승인

190mm×268mm 인쇄용지 2급 60g/㎡ 가 40-41 1985. 10. 29

0044

법 무 부

인권 2031- 11552 503-7045 1990. 8. 31

수신 외무부장관

참조 국제연합과장

제목 AI대표단 방한에 따른 당부입장 회신

1. 국연 2031-38876 ('90.8.14)과 관련입니다.

2. AI의 법무부 관계자 면담에 관한 당부의 입장을 아래와 같이 회신합니다.

- 아 래 -

ㅇ 면담자 : 법무실장

ㅇ 면담일시 및 장소 : 1990.10.26 또는 27 (추후통보)
당부 법무실장실. 끝

법 무 부 장 관

24712

0045

국 가 안 전 기 획 부

판사 418-2560　　757-0231　　1990. 9. 10.

수신 외무부 장관

제목 AI대표단 정부기관 면담 요청관련 의견 회신

1. 국연 2031-38876(90.8.14)로 의견문의한 AI 대표단 방한시 정부기관 담당자와의 면담 요청과 관련한 의견회신입니다.

2. 검토 및 조치의견

가. AI측의 정부기관 담당자에 대한 면담요청은 "양심수" 를 포함한 아국의 인권문제에 대한 정부의 공식입장을 확인하려는 저의로 보이는 바, 이들의 아국 인권상황에 대한 왜곡된 시각을 교정하는 기회로 활용할 수 있는 긍정적 측면이 있는 것으로 평가됨.

나. 따라서 이들의 면담요청을 적극 수용, 정부를 대표하여 주무부처인 법무부에서 대응논리 개발하에 면담을 시행하되, 당부의 경우 면담시 불필요한 오해를 유발할 가능성이 있으므로 대상에서 제외를 요망함. 끝.

국 가 안 전 기 획 부 장

연 25526　　0046

관리 번호	90-1682

	분류번호	보존기간

발 신 전 보

번　　호 : WUK-1529　　900912 0922 FC　종별 :

수　　신 : 주　　영　　　대사 . 총영사

발　　신 : 장　관　(국연)

제　　목 : A.I. 대표단 방한

대　:　UKW-1479

대호 A.I. 대표단측의 방한 및 아국 관계공무원과의 면담희망 관련, 법무부측은 10.26. 또는 27경 법무실장(Assistant Minister for Legal Affairs, Mr. Hwang Khil Soo)과의 면담을 주선하겠다 하는 바 A.I.측에 적의 통보바람.　끝.

(국제기구조약국장 문동석)

일반문서로 재분류(90.12.31)

앙 고 재	90년 9월 12일	UN과	기안자		과 장		국 장		차 관	장 관
			윤여철		(서명)		전결			(서명)

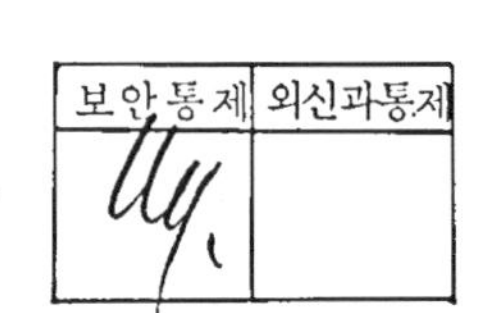

보안통제	외신과통제
(서명)	

0047

관리 번호	90 -1698

원 본

외 무 부

종 별 :

번 호 : UKW-1726 일 시 : 90 0912 1400

수 신 : 장관(국연)

발 신 : 주 영 대사

제 목 : A.I.대표단 방한

대: WUK-1529

대호사항을 A.I. 본부 MS.F.VANDALE 한국담당연구원에 통보한 바, 동인은 10.26. 또는 27 일중 어느 일시라도 무방하다함. 끝

(대사 오재희-국장)

예고: 90.12.31 일반

일반문서로 재분류(90.12.31)

국기국 구주국

PAGE 1

90.09.14 04:34

외신 2과 통제관 DO

0048

관리 번호	90 -1758

	분류번호	보존기간

발 신 전 보

번 호 : WUK-1603 900924 1650 DN 종별 :

수 신 : 주 영 대사~~총영사~~

발 신 : 장 관 (국연)

제 목 : A.I. 대표단 방한

대 : UKW-1726

연 : WUK-1529

대호 관계부처 ~~답문~~에 의하면, 10.22-28간 방한예정으로 있는 Paul Hoffman 방한기간이 10.21-27로 파악되었다는 바, 동 방한기간 변경여부 지급 확인 보고바람. 끝.

예고 : 90.12.31. 일반

(국제기구조약국장 문동석)

일반문서로 재분류(90.12.31)

앙고재	90년 9월 24일	과	기안자	과 장	국 장	차 관	장 관
			윈혜현	(서명)	전결		(서명)

보안통제	외신과통제
(서명)	

0049

관리번호	90-1754

원 본

외 무 부

종 별 :

번 호 : UKW-1818 일 시 : 90 0924 1600

수 신 : 장관(국연)

발 신 : 주 영 대사

제 목 : A.I.대표단방한

대: WUK-1603

대호, 당지 A.I. 관계관에 확인한 바, PAUL HOFFMAN 의 방한기간은 10.21(일) 저녁에서 10.28(일) 저녁까지라고함. 끝

(대사 오재희-국장)

예고: 90.12.31 일반

일반문서로 재분류(90.12.31)

국기국

PAGE 1 90.09.25 06:06

외신 2과 통제관 CF

0050

법 무 부 인 권 과

1990. . .

아래 문건을 수신자에게 전달하여 주시기 바랍니다.

제 목 :

수 신 : 외무부 국제연합과장님

(수신처 FAX NO: 720-2686)

발 신 : 법무부 인권과

표지포함 총 8 매

0051

SEP 24 '90 11:03 BEOB MU BOO 700-3018 P.2

법 무 부

문서전송

인권 2031- 12611 503-7045 1990. 9. 24

수신 수신처참조

제목 국제사면위 대표단 방한관련 유관부처 실무자회의 개최

국제사면위 대표단이 '90.10.21-27간 인권관련 자료수집을 목적으로 방한할 예정에 있는 바, 지난 9.18 청와대 인권문제 홍보대책 회의에서 관계부처 실무자 회의를 통하여 그 대응방안을 강구하도록 결정되어 아래와 같이 담당실무자 회의를 개최하오니 적극 협조하여 주시기 바랍니다.

- 아 래 -

- 일 시 : '90.9.26(수) 14:30
- 장 소 : 법무부 소회의실 (과천청사 제1동 216호실)
- 참석범위
  - . 회의주재 : 법무부 법무실장
  - . 참 석 : 각 부처 인권담당관 또는 관련과장
- 토의의제 : 국제사면위 대표단 방한 대비, 관계부처간 대응방안 강구
- 협조사항 : 해당부처 소관사항에 대한 자료준비
  - . 국내 인권상황 설명 및 반박자료 마련, 북한 인권문제 관련 자료수집, 재소자 관리 철저 등 (법무부)

발송 1990. 9. 24 법무부

0052

SEP 24 '90 11:03 BEOB MU BOO 700-3018 P.3

. 대표단의 상세 일정과 면담인사 파악 (10.10 사전 입국 예정인 Ms. Francoise Vandale 포함) 등
(외무부, 치안본부, 법무부, 국가안전기획부)

. KNCC 가명 고단인 예장통합 등을 통한 건제분위기 조성
(문화부)

. 대표단과 간담회 등을 통해 접촉할 중도, 건전성향 인사의 추천 (전 부처)

첨부 : 국제사면위 대표단 방한관련 대응방안 1부. 끝.

수신처 : 국무총리(참조 : 제1행정조정관), 외무부(참조 : 국제연합과장),
치안본부(참조 : 수사과장), 대검찰청(참조 : 공안부장),
문화부(참조 : 종무실장), 공보처(참조 : 법무담당관),
국가안전기획부(참조 : 대공수사국장).

법 무 부 장

0053

國際赦免委 代表團 訪韓關聯 對應方案

1. 槪 況

o 國際赦免委員會(AI,本部: 런던)는 우리나라의 人權實態를 把握하기 위해 10.21 - 27간 代表團을 訪韓시킬 豫定인 바

o KNCC人權委(委員長: 朴光載)등 問題圈에서는 이들의 訪韓을 契機로 不純活動을 劃策하고 있어 對應策 講究가 要望됨.

※ AI : Amnesty International

2. 關 聯 動 向

o 이번에 訪韓할 AI 代表團은「호프만」美國支部 理事와「반데일」韓國擔當硏究員(10.10 事前入國豫定)등 2名으로써

o 이들은 訪韓時

- AI의 年例 "韓國人權狀況 報告書" 作成을 위한 資料를 蒐集하고 이른바 良心囚에 대한 政府와 問題圈과의 相反된 主張을 確認하는 것이 主目的으로

- 收監者 家族·辯護士·人權團體 등을 接觸하는 한편 法務部를 비롯한 政府關係者도 面談할 計劃임

※ 8.2 駐英 韓國大使館에 面談協助要請 書翰 接受

1

0054

o 이에따라 國內 人權團體들은 自身들의 位相提高를 위해

- 6 共和國 出帆以後 人權狀況이 오히려 惡化되고 있다고 主張하면서

- 지난 9.1 부터 無依托 長期服役 出所者 收容施設인 "사랑의 집" 建立을 위해 1億원을 目標로 募金運動을 展開하고 있으며

- 每月 良心囚實態 報告書를 作成하여 AI등 國內外 關聯團體에 傳達하고

- 談話文 發表·牧會書信 및 油印物 配布 등을 통해 人權問題를 浮刻시키려고 하고 있음.

o 特히 AI 代表團의 訪韓期間에 焦點을 맞춰

- 10.22 - 11.4間(2 週)을 "良心囚 全員 釋放을 위한 總力期間" 으로 設定하고, 全國 矯導所 巡訪등 面會를 實施하고

- 各 敎會 및 團體別로 良心囚 釋放을 위한 祈禱會·演劇·講演會를 開催하며

- 大統領께 抗議便紙 보내기·在所者 激勵葉書 보내기 運動도 計劃하고 있음.

※ AI는 "韓國, 拷問과 暴力으로 되돌아 가는가" 題下의 89年度版 人權報告書(90.1.15 發表)에서 200名의 政治犯과 100餘名의 良心囚가 收監되어 있다고 前提하고 良心囚의 即刻的인 釋放을 促求하였음.

3. 評價 및 對策

o AI 代表團의 이번 訪韓은 지난 7.10 政府의「國際人權 規約」加入이후 國內 人權狀況에 대한 最初의 國際的인 調査로

- 國內 問題圈은 이를 契機로 收監者 釋放 要求·國保法 撤廢등 對政府 鬪爭雰圍氣를 造成하려고 劃策할 것이나

- 政府側으로 볼때, AI 側의 國內人權問題에 대한 歪曲된 視角을 矯正시키는 機會로 活用할 수 있는 肯定的 側面도 있음.

o 따라서 關聯部處는 相互 協助下에

- AI 代表團과의 面談에 對備, 各 問題圈의 人權批判 및 이른바 良心囚 存在 主張에 대한 具體的인 反駁 資料를 마련하고

- KNCC등의 人權問題 浮刻活動에 대해 KNCC加盟 最大 敎團인 예長統合 등과 敎界紙를 통해 牽制雰圍氣를 造成해 나가는 한편

- 在所者 管理를 徹底히 하여 AI 側이 是非를 걸수 있는 口實을 事前 除去하고

- AI代表團 入國時, 國內 AI會員中 穩健人物들로 하여금 올바른 調査活動이 이루어 지도록 誘導하고 北韓人權 問題에 대해 關心을 喚起시키도록 하는 등 徹底히 對備토록 해야 하겠음.

3

0056

〈參 考〉

1. 國際赦免委員會(AI)

o 設　立 : 1961. 5.28

o 事務總長 : 「이안 마틴」(英國人)

o 本　部 : 런던

o 加入現況 : 43個國 3,341個支部, 120餘個國에 個別會員으로 構成

o 綱　領 :

- 모든 良心犯들을 즉각 아무 條件없이 釋放
- 모든 政治犯들에게 公正·迅速한 裁判을 保證
- 拷問과 死刑制度를 廢止

o 良心犯 定義 : 自己의 政治的·宗敎的 또는 良心에 立脚한 信念이나 宗敎·性別·皮膚색깔·人種·言語 등의 理由때문에 投獄·抑壓되거나, 그밖의 身體的 制約을 받고 있되 暴力을 使用하거나 暴力을 支持하지 않는 사람을 指稱

o 우리나라와의 關係

72. 2 : AI 韓國支部 創設
75. 3 : AI 事務局「브라이언」과「에릭카라」 訪韓, 人革黨관련 被告人 公判 參觀
85. 7 : AI 韓國支部 閉鎖
86. 5 : 「이안 마틴」事務總長 訪韓
89. 6 : "AI 韓國支部 結成을 위한 連絡委員會" 結成

* 각 支部는 自國이 아닌 他國의 人權侵害 狀況을 調査하되, 어떤 支部도 自國과 關聯한 措置나 發表된 聲明에 대한 責任은 지지 않음.

4

0057

2. AI의 「韓國人權問題 報告書」主要內容(89年度版)

o 題 目 : "韓國, 拷問과 暴力으로 되돌아 가는가?"

o 內 容 :

- 韓國政府가 勞使紛糾를 抑壓하고 在野人士들에 대해 強硬對應키로 方針을 정한후, 약 800名의 在野人士와 勞動運動家들이 全國에서 逮捕됨.

- 激烈한 政治的 示威가 자주 發生하여 被逮捕者가 數千名에 이르렀고, 89年 12月末現在 200名의 政治犯이 1年以上 拘禁되어 있음.

- 韓國內에 良心犯으로 믿어 지는 在所者가 100餘名에 이르고 있는 바, 이들의 即刻的인 釋放을 促求함.

- 89.4이후 政治的 理由로 逮捕된 사람은 大部分 辯護士 및 家族들과의 面會가 拒否되었고, 相當數가 捜査過程에서 拷問 또는 非人間的인 待遇를 받은 事實에 注目함.

- 89年 한해 韓國警察에 逮捕된 사람들 가운데 많은 수가 國家保安法에 따라 反國家行爲로 起訴되었는 바, 間諜行爲 등의 뚜렷한 證據없이 단지 北韓으로 旅行했다는 事實만으로 사람을 拘禁하고 있는 것은 合當치 못함.

- 韓國政府가 長期囚들에 대한 再檢과 5共時 人權蹂躪事件을 調査하는데 消極的인 姿勢를 보이고 있는 것은 遺憾이며, 間諜嫌疑를 받고 있는 長期囚중 일부人士는 時急히 釋放되어야 할 良心犯임.

5

0058

会議進行順序

1. 法務室長 人事말씀

2. 人權課長 보충설명

   AI代表團 訪韓 概況

   AI代表團의 과거 訪韓時 활동자료

3. 討議事項

   가. 法務部 關係者 面談

   주관: 法務部

   o 면담자료 준비 (法務部)

   - 90년 발간 AI年例 人權報告書에 대한 政府立場 재강조

   - AI의 討議 希望事項에 대한 설명자료 작성

   - 협조: 治安本部, 國家安全企劃部

   o 통역 및 면담자료 번역문제 (公報處, 外務部)

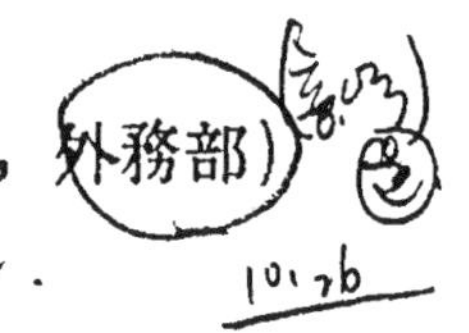

   o 기타 討議事項

   나. KNCC活動에 대한 對策

   o 예장통합 등과 교계지를 통한 견제분위기 조성 (文化部)

   - 협조: 大檢, 國家安全企劃部

0059

ㅇ "사랑의 집" 건립동향에 대한 대책 (法務部)

ㅇ 在所者 管理 철저 및 KNCC 全國矯導所 巡訪에 대한 대책 (法務部)

다. 代表團의 상세 일정과 面談者 파악

ㅇ 입국전 공정한 조사활동을 바란다는 政府公式立場 전달 (駐英大使)

ㅇ 일정파악 — 外務部

ㅇ 日日 活動狀況 파악

* 訪問期間중 활동상황 日日報告體制 구축문제

— 治安本部, 國家安全企劃部, 法務部, 大檢

라. 健全人士와의 懇談會 주선 (法務部, 外務部, 治安本部, 文化部, 國家安全企劃部)

마. 北韓 人權問題에 관한 관심 환기 (法務部)

— 협조 : 國家安全企劃部, 外務部

* 北韓刑法 英文解說版 조속 제작 추후송부 검토 (公報處)

바. "法과 秩序 그리고 人權" 책자 영문요약판 발간, 배포 (公報處)

— 협조 : 外務部, 法務部

0060

사. AI韓國支部 會員 현황파악 및 접촉가능성 검토

(國家安全企劃部, 治安本部, 大檢, 法務部)

아. 기타 관련 建議事項 (全 部處)

[첨 부]

1. AI人權關聯 活動日誌

2. AI의 討議 希望事項 (國. 英文)

3. "사랑의 집" 건립동향에 관한 대책

4. 在所者 管理 철저 및 KNCC 全國矯導所 巡訪에 대한 대책

5. 健全人士와의 懇談會 주선 방안

6. AI韓國支部 現況

0061

국제사면위 대표단 방한관련 유관부처 실무자회의 명단

90.9.26. 법무부 주최

소　　속	직　급	성　명	전화번호
청와대 법률비서관실	검 찰 관	박 한 철	770-0111
국무총리 행정조정실 제1행정조정관실	서 기 관	박 기 종	720-2014
국가안전기획부 대공수사국		박 동 열	757-7284
외무부 국제기구조약국 국제연합과장	외무서기관	이 규 형	720-2334
내무부 치안본부 수사과장	총　경	김 종 우	313-0711
대검찰청 공안기획담당관	고등검찰관	제갈융우	773-6980
법무부 법무실 인권과장	고등검찰관	이 선 우	503-7044
법무부 검찰국 검찰제3과장	고등검찰관	장 윤 석	503-7054
법무부 법무실 인권과 검사	검 찰 관	권 영 석	503-7045
법무부 교정국 보안제2과장	교 정 감	이 순 길	503-9928
문화부 종무2과장	서 기 관	이 상 용	720-3432
공보처 기획관리실 법무담당관	서 기 관	정 규 억	720-0986

0062

(별 첨 1)

AI 의 아국관련 활동일지

========================

일 자	주 요 관 계 일 지
'72.2.28	AI 한국지부 (K.A.I.) 창설
'74.5.10	AI 대표 1인 (Nabudeira Kenkich: 변호사), 이호철, 임헌영, 김우종 3명의 반공법 위반 재판방청차 방한
'74.6.28-7.7	AI 뉴욕 지부장 겸 유엔 국제법률협회 미국대표 William J. Butlor , 긴급조치 4호 위반자 54명 면담차 방한
'75.3.27	AI 사무국 Brian Wrobel (변호사) 및 Dr. Erik Kara Pederson (덴마크인) 내한, 인혁당 관계 피고인 공판 참관
'76.5.23	AI 사무국장 Martin Ennals(영국인) 방한, 법무부 및 문공부장관과 면담
'82.3.16	AI 한국지부 회원 접촉 목적으로 Da Costa AI 아시아담당 연락관 방한
'83.8.	AI 집행위원장 Wolfgang Heinz(오지리인) 및 S.M. Grant (영국인) 방한 (아국 공관 통보없이 KAI 와 연락, 사증 면제 협정에 의거 무비자 입국)
'84.10.3-14	AI 조사과 부국장 Wesley Gryk및 아시아 지역 연구관 Francoise Vandale 방한, 외무부 및 법무부 관계자 면담 및 수감자 가족,변호인 등 접촉

0063

일 자	주 요 관 계 일 지
'85.7.	AI 한국지부 폐쇄
'85.11.26 - 12.7	AI 조사과 부국장 Wesley Gryk 및 아시아 지역 연구관 Francoise Vandale 방한, 외무부, 법무부, 문공부 관계자 면담 및 김대중, 김영삼 등 재야인사, 구속자 가족, 사건담당 변호인 등 접촉, 국내 인권문제 전반에 대한 사실여부 확인
'87.5.	AI 사무총장 Ian Martin , 소속변호사 Christopher Avery 및 아시아 지역 연구원 Francoise Vandale 방한, 국무총리 행정조정실, 외무부, 법무부 관계자 면담, 국내 인권상황 전반에 대한 사실여부 확인
'88.6.30-	AI 조사관 Francoise Vandale , Sara. W. Hyatt 방한, 외무부, 법무부, 국제인권옹호한국연맹 관계자 면담, AI 활동과 관련 국내 인권상황 파악
'89.6.	AI 한국지부 결성을 위한 연락위원회 결성 (소재지 : 광주)

0064

(별 첨 2)

AI의 토의 희망사항

=========================

1. 대한민국 정부는 수차에 걸쳐 고문을 방치하지 않겠다고 밝힌 바 있음
   이와 같은 방침은 경찰 및 안기부 요원에게 어떻게 전달되고 있는가?

2. 대한민국 헌법 및 형사소송법은 피의자에게 친족 및 자신이 선택한
   변호인을 면담할 수 있는 권리를 보장하고 있음. 경찰 및 안기부에
   의해 여하히 동 권리를 보장하기 위한 조치를 취하고 있는가?

3. 경찰 및 안기부가 피의자를 구금 및 심문하는 모든 장소가 일반에게
   알려져 있는 구치소인가 또는 구속자들이 효율적으로 유치될 수 있는
   비밀장소가 있는가? 피의자가 유치되어 있는 모든 장소에 정기적
   면회가 보장되어 있는가?

4. 심문절차와 관련 어떠한 규칙과 절차가 존재하는가?
   동 절차 규칙은 경찰과 안기부 모두 동일하게 적용되는가?
   특히

   4.1 모든 피의자에게 변호사 접견권, 가족면회권, 묵비권 등
       법률적 권리 등이 통보되도록 하는 절차가 도입되어 있는가?

0065

4.2 심문기간, 장소, 심문시기 등을 규정하는 규칙은 무엇인가?
동 규칙의 법적 위치는 어떠한가?

4.3 피의자 심문에 있어 1회당 심문에 참여할 수 있는 심문인 수를 제한하는 규칙이 있는가? 그러한 경우 동 규칙의 규정내용은?

4.4 심문담당관의 감독에 관한 규칙은?

4.5 개인의 구금 및 심문에 관하여 어떠한 기록이 보존되고 있으며 동 기록은 어떠한 사람들에게 제공되고 있는가?

4.6 동 기록은 피구금자 및 그들의 변호사에게 제공될 수 있는가?

4.7 상기 규칙들은 한국변협이나 타 민간 인권기관이 언급해 왔거나 또는 언급할 수 있는 공문서인가?

5. 모든 구금장소에 상주 또는 동 구금장소를 담당하는 의사가 있는가? 동 의사들이 피의자를 검진하고 동 검진기록을 보관하는 규칙은 무엇인가?

6. 구금된 피의자의 복지 및 보호를 담당하는 기관과 피의자의 심문을 담당하는 기관간에 공식적 분리가 되어 있는가?

0066

7. 피의자의 구속.구금.심문을 담당하는 기관원에 대한 인권교육은 여하히 실시되고 있는가?

8. 경찰이나 안기부에 의해 구금된 사람들이 그들의 불법구속.고문 또는 부당한 대우에 관하여 탄원을 제기하고자 할 경우 어떠한 탄원 제출 절차가 보장되고 있는가?

9. 법집행관이 피구금자를 고문 또는 부당하게 대우했다고 항의받을 경우 동 법집행관에게 어떠한 징계절차가 취해지는가?

10. 추가 토의 희망사항

경찰 및 안기부와는 집시법 시행의 실제적 측면, 다중규제 및 강제력 사용에 관한 경찰법규, 피의자 심문법규 및 절차와 구금상황, 피구금자의 인권보호를 위한 조치, 인권을 위한 인적자원 양성, 고문 및 가혹행위 혐의의 조사와 고문 및 가혹행위자의 처벌 방안에 관하여 협의하기를 희망함

0067

11. 기타 거론예상사건

11.1. 안기부관련

o 시사토픽 객원기자 불법연행 (8.7. 동아일보)

안기부 직원 4명이 8.5. 14:00 시사토픽 객원기자 노가원을

불법 연행하고 집을 수색

o 정하수 고문주장

89. 8. 4. 홍성담사건과 관련하여 국가보안법위반으로 구속되었으며

홍성담이 간첩이라는 사실의 시인을 강요하면서 고문을 당했다고 주장

o 방양균 고문주장

89. 7. 2. 서경원사건과 관련하여 국가보안법위반등으로 구속

되었으며 구타 및 잠안재우는 고문을 당했다고 주장

11. 2. 치안본부 관련

o 연합통신 박창기 기자 구타사건

90. 2. 24. 17:50경 중구 명동2가 제일백화점앞 노상에서

대학생들의 연좌농성을 취재하다 사복기동대원으로부터 구타당함

0068

o 한겨레신문 이공순기자 구타사건

90. 2. 24. 18:40경 중구 명동1가 유네스코회관앞 노상에서 시위해산과정 취재중 사복기동대원이 발로 구타 함

o 대동출판사 불법수색 (8. 7. 동아일보)

서부경찰서에서 7.19. 11:00경 은평구 갈현동 496소재 대동출판사에 대하여 영장없이 압수수색을 실시, 간행물 13종 967건 압수

o 민족통일 민주주의 노동자동맹사건 관련 불법연행,수색 (8. 7. 동아일보)

치안본부 대공3부에서 4.25. 동 사건 관련자 14명을 불법연행하고 집과 사무실을 수색

o 전주 성광교회사건

5.15. 전주 성광교회에 경찰관들이 난입, 교회기물 손괴

o 숭실대사건

5.24. 숭실대 구내에 경찰관들이 진입, 경찰에 의해 대학 기물이 파손

0069

o 최 동 분신자살

8.7. 09:10 한양대 사회과학대학 403호 강의실에서 분신자살하였고,

89.4.28. 치안본부 대공분실에 연행된 뒤 며칠씩 잠을 안재우고,

안기부로 넘기겠다는 협박을 받는등 정신적 압박으로 두차례 자해하였으며,

그 후유증으로 자살하였다고 보도됨

o 이진순 불법연행

8.20. 치안본부 대공3부에서 연행하여 철야조사후 귀가조치되었으며,

이진순은 연행당시 영장제시를 요구하였으나 영장, 신분증의 제시도

없이 강제연행되었고, 목격한 시민들도 납치사건으로 오인하였다고 보도됨.

가족들의 확인에 대해 치안본부에서 연행한 사실이 없다고 답변하였다고 함

o 김영숙 가택수색

8.24. 서울시경에서 덕성여대 전 교지 편집장 김영숙을 교지 기획기사와

관련, 연행 조사하면서 영장없이 가택을 불법수색, 메모장등을 압수

0070

o 한승권 가택수색

8.21. 치안본부 대공분실에서 혁노맹사건으로 연행된 한승권 (28,서울대 경제과 졸)의 집을 영장제시없이 수색, 서적 10여권을 압수

o 노승철 가택수색

8.22. 치안본부 대공분실에서 혁노맹사건으로 구속된 노승철 (26, 연세대 정외과 졸)의 집에 찾아가 신분증만 제시한 채 수색하려다, 영장제시를 요구받고 30여분간 실랑이를 벌이다 돌아감.

0071

INTERNATIONAL SECRETARIAT
1 Easton Street London WC1X 8DJ
United Kingdom

TG ASA 25/90.8

Mr Hwang Joon-Kook
Second Secretary and Consul
Embassy of the Republic of Korea
4 Palace Gate
London W8 5NF

12 April 1990

Dear Mr Hwang Joon-Kook,

I have spoken to Mr Ian Martin about the specific subjects we would like to discuss with representatives of the National Police and of the Agency for National Security Planning. I outline these below and would be grateful if you could bring them to the attention of the relevant officials in Seoul.

The main areas we would like to discuss relate to the procedures for the detention and interrogation of suspects and in particular practical measures to prevent torture and ill-treatment. On previous visits to Seoul Amnesty International delegates have had the opportunity to discuss existing legal provisions on arrest and detention procedures with officials of the Ministry of Justice. We would now like to have the opportunity to dicuss with representatives of law-enforcement agencies how these legal provisions are implemented in practice.

We propose the following areas for discussion and would, of course, welcome information on related matters that the agencies would wish to bring to our attention.

1. The Government of the Republic of Korea has on a number of occasions stated that it will not tolerate torture. How has this message been relayed to the individual officers in the police and the Agency for National Security Planning (ANSP)?

2. The Constitution of the Republic of Korea and the Code of Criminal Procedure give suspects the right to see their relatives and a lawyer of their choice. What procedures are followed by the police and the ANSP to ensure that prisoners are allowed prompt and regular access to a lawyer and to their relatives?

3. Are all the places where the police and the ANSP detain and interrogate suspects publicly recognized places of detention or are there other locations used in which prisoners are effectively held in secret? Is there a system of regular visits by independent authorities to all places where suspects are held?

☎ 01-833 1771 Telegrams: Amnesty London WC1 Telex: 28502 Fax: 01-956 1157

Amnesty International is an independent worldwide movement working impartially for the release of all prisoners of conscience, fair and prompt trials for political prisoners and an end to torture and executions. It is funded by donations from its members and supporters throughout the world. It has formal relations with the United Nations, Unesco, the Council of Europe, the Organization of African Unity and the Organization of American States

0072

4. What regulations and procedures exist in relation to the process of interrogation? Are they the same for the police and the ANSP? In particular:

4.1. have procedures been introduced through which suspects are informed of their legal rights, such as the right to see a lawyer and members of their family and the right not to incriminate oneself?

4.2. what are the rules on the duration of interrogation, where and the times at which it can take place? What is the legal status of any such rules?

4.3. do the rules specify the number of interrogators who can be involved in the interrogation of a suspect at any one time and if so what do they stipulate?

4.4. what are the rules on the supervision of interrogating officers?

4.5. what records are kept about a person's detention and interrogation? To whom are these available?

4.6. are such records available to detainees or their lawyers?

4.7. are the above rules part of a public document, on which organizations like the Korean Bar Association and other civil liberties groups have commented or may comment?

5. Are there fully qualified doctors at or serving all detention centres? What are the rules under which they examine suspects and keep records of the examinations?

6. Is there a formal separation between the authorities responsible for the welfare and custody of the detained suspects and the authorities responsible for the interrogation of the suspects?

7. What training in human rights standards is given to personnel involved in the arrest, detention and interrogation of suspects?

8. What are the complaints procedures available to people held by the police and the ANSP who wish to lodge a complaint about illegalities in their detention, or torture or ill-treatment?

9. What disciplinary procedures apply when officers are alleged to have tortured or ill-treated prisoners?

When meeting representatives of the police we would like, in addition, to discuss (a) the practical aspects of the enforcement of the Law on Assemblies and Demonstrations; and (b) police regulations on crowd control and on the use of force in the exercise of crowd control duties and in making arrests.

0073

In the course of our meetings with representatives of both the police and the ANSP, we will also want to discuss the standards that the United Nations has laid down in the areas of the prevention of torture and ill-treatment of prisoners.

I hope that the above outline of the areas we would like to discuss will be helpful. If you wish to have any point clarified, do let me know.

Yours sincerely,

Vandale

Francoise Vandale
Asia and Pacific Research Department

0074

종교계 인권활동단체의 동향 및 대책

- 문화부 (종교분야) -

1. 인권활동 단체

< 개 신 교 >

○ 한국기독교교회협의회 (NCC) 인권위원회
  (위원장 : 박광재 목사)
○ 한국기독교사회운동연합
  (공동의장 : 박영모, 이명남, 김영원 목사)
○ 전국목회자정의평화실천협의회 (의장 : 김정웅)
○ 한국기독청년협의회 (회장 : 이강철)

< 천 주 교 >

○ 천주교정의구현전국사제단 (대표 : 김승훈)
○ 천주교정의평화위원회 (위원장 : 박정일 주교)

< 불 교 >

○ 민족자주통일불교운동협의회 (의장 : 최지선 스님)

0075

2. 최근의 활동

< 국내에서의 활동 >

○ 악법철폐, 양심수 석방 결의대회
  - NCC 인권위 '90.7.15 향린교회
○ 문익환 방북1주년 기념 및 평화군축 결의대회, 투쟁선언
  - 기사련 '90.4.2
○ 보안법철폐, 문익환, 임수경 석방요구 성명발표
  - 목정협 '90.7.20
○ 통불협
  - '90.8.12 - 13 동국대에서 통일염원 8.15기념 불교문화공연시 문목사 방북 스라이드 상영
○ 불교 소장승려 중심 인권특별위원회 설치 움직임.
  - '90.9.16 - 9.17 금산사에서 수련회 계기
○ 장기복역 무의탁자를 위한 자매결연식
  - NCC 인권위 '90.9.27 기독교회관

< 국제연계 활동 >

○ 아시아 교회협의회 (CCA) 총무 빅타 사무엘 내한 인권활동
  - 9.24 방한, 보안법위반으로 구속된 CCA 의장단 장윤재의 석방 요구 및 재판과정를 지켜보기 위해 내한
○ 세계개혁교회연맹 (WARC), 구속자석방 건의 서한, 한국정부에 전달 예정
  - WARC 총무 오프잰스키 9.24 내한

0076

3. 활동추이

- 종교계인권단체의 활동, 점차 약화 추세, 보수화 경향
  - 일부급진인사 재야정치권 (민중의당, 통추회의)으로 흡수
  - 민주화, 올림픽이후 국제적 지위 격상 등 요인

4. 대 책

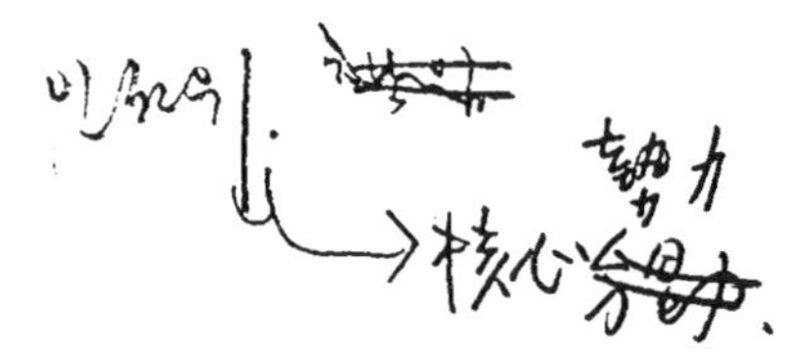

- NCC/책임있는 교역자와 접촉
  - 총무 권호경 목사등
- 온건보수단체 접촉, 간접견제 (간담회, 개별접촉)
  - 기독교지도자협의회, 장로협의회, 교회평신도단체협의회, 가톨릭평신도사도직협의회
- 종교지 활용, 종교계 인권단체의 외세 의존적 작태 견제
  - 장로신보, 기독신보, 기독공보등
- 건전종교활동 조장, 문제활동 순화
  - 사회봉사활동, 윤리도덕성회복을 위한 각종 캠페인 전개 권장
- 10월 문화의달 각종 "이벤트"에 종교계 참여유도, 인권활동 희석
- 유관기관 협의

0077

(별 첨 3)

'사랑의 집' 건립동향에 관한 대책

================================

1. '사랑의 집' 건립동향

국내 인권단체들이 자신들의 위상 제고를 위해 지난 9.1부터 무의탁 장기복역 출소자 수용시설인 '사랑의 집' 건립을 위해 1억원을 목표로 모금운동을 전개하고 있음

2. 문제점

o 무허가 보호사업의 문제

보호사업을 영위하기 위하여는 법무부장관의 허가를 받도록 되어 있으나, 인권단체에서 허가없이 보호사업을 할 경우 무허가 보호사업에 대하여 갱생보호법상 처벌규정이 없어 보호사업의 명목으로 영리행위를 하거나 갱생보호회 또는 이와 유사한 명칭을 사용하지 않는한 법적제재 수단이 없음

o 기부금품모집금지법 위반문제

기금모금운동에 대하여는 기부금품모집금지법 위반으로 의율할 수 있음

o 국가의 보호사업 미흡으로 왜곡 선전 가능

장기복역 출소자에 대한 국가의 보호가 미흡하여 인권단체가 나서서 수용시설 건립을 위한 기금모금을 하는 것처럼 왜곡 선전할 가능성이 있음

0078

3. 정부의 대응방안

o '사랑의 집'이 건립되어 무의탁자인 복역 출소자들을 수용할 경우 허가신청여부,보호사업의 명목으로 영리행위를 하는지 여부 등을 파악 (정보수사기관의 협조 필요)

o 보호사업의 허가신청이 들어올 경우 '사랑의 집'의 실질적 운영자의 경제적 능력, 사회적 신망정도, 경영조직, 경리방침의 공개성 여부 등 허가기준에 관하여 철저히 검토

o 기금모금운동에 대하여 기부금품모집금지법 위반으로 처벌하거나 영리행위, 유사명칭 사용 혐의가 있을때 이를 처벌하는 문제는 행위주체가 재야 인권단체들이라는 점에서 신중한 검토 필요

o 국가의 보호사업 미흡이라는 왜곡선전 가능성에 대하여는 출소자들이 원하기만 하면 갱생보호회 또는 그 지회의 보호를 받을 수 있는 시설이 충분하다는 점을 적극 홍보

0079

(별 첨 4)

재소자 관리 철저 및 KNCC 전국교도소 순방에 대한 대책

1. 재소자 관리 철저

o 불식, 소란 등의 집단 규율위반 사례가 없도록 감독자 현장근무를 강화하여 통모통방 접촉 등을 사전 차단

o 처우와 관련한 문제성을 사전 해소하도록 간부들의 상담을 강화하여 질서생활 순응을 적극 유도

o 관계 근무자를 선별, 정예화하고 관련 직무교육을 강화하여 재소자 처우의 적정 도모

o 가족 및 재야단체와의 연계활동 차단을 위한 불순한 접견 대담통제 및 서신내용 검열 철저

2. KNCC전국교도소 순방에 대한 대책

o 전국교도소 순방 재소자 접견요구 A·1 이

. 재소자 접견은 불허

. 교도소장 등 면담요구시는 허가

- 교정제도와 운영실태 등 설명

0080

o 재소자 격려엽서 접수

. 서신내용이 재소자의 규율위반 행위를 자극, 선동하는 것은 불허

o 접견을 통한 재소자 불식 등 규율위반행위 유도에 대한 대책

. 친족 이외자 접견 선별 허가

. 재소자 선동 등 불순내용 엄격차단

o 가족 등 재야단체 내소 집단농성에 대한 대책

. 업무관련 이외자 출입통제

. 유관기관 협조, 원천봉쇄 및 조기해산

0081

(별 첨 5)

대표단과 건전인사와의 간담회 주선방안 검토

1. 검토배경

대표단은 문제권 단체, 반정부 인사, 구속자 가족들을 자체적으로 접촉할 계획이라고 하는 바, 자칫 이들의 과장. 왜곡된 주장에 치우칠 우려가 있어 문제인물 이외에 중도. 건전성향 인사와의 접촉기회를 마련함으로써 AI측이 아국 인권상황에 대하여 객관적이고 균형된 시각을 가지도록 하기 위함

2. 구체적 검토

가. 대상자 선정 (법무부)

o 치안본부, 문화부, 국가안전기획부 등 유관부처로부터 건전인사를 추천받아 적임자 선정

. 법무부(안) : 박한상 전의원 (한국인권옹호협회장),
최성철 교수 (국제인권옹호한국연맹 사무총장) 등

* AI는 과거 방한시 국제인권옹호한국연맹을 방문해온 전력이 있음

o 대상자들에게는 "법과 질서 그리고 인권", "북한형법의 실상" 등 책자를 고부하고 사전에 취지를 상세히 설명하는 기회를 마련

0082

나. 대표단과 건전인사와의 간담회 추진 (외무부)

ㅇ 대표단 일정 파악시 자연스럽게 건전인사와의 간담회 권유

. AI는 가능한한 각계각층 인사와 면담하기를 바랄 것이므로 별 문제 없을 것으로 보임

다. 간담회 일시, 장소 등 결정

ㅇ 일시 : 10.21 - 27 중

* Mr. Hoffman이 10.21 입국, Ms. Vandale과 합류한 이후가 적절함

ㅇ 장소 : 면담인사들에게 위임

ㅇ 통역 : 외무부에서 주선하는 방법이 무난함

0083

(별 첨 6)

AI 한국지부 현황

===================

1. 연 혁

o '72.2 - '85. 7간 한국지부로 활동

. 이사장 : 윤 현

. 회 원 : 200여명

. 주요활동

- 인권옹호 강연회 개최
- 외국정부에 탄원서 발송
- 국제대회 참가
- 국내문제 개입 및 반정부성향 노정

2. 알려진 현황

o 국내에는 현재 지부 (section)가 설치되어 있지 아니하고, 지부의 규모에는 이르지 않은 5개 그룹 (서울2, 대구2, 광주1)이 활동하고 있다고 함

* '89.6 AI 한국지부 결성을 위한 연락위원회 결성 (소재지 : 광주)

0084

o 알려진 그룹의 주소

1) 국제사면위원회 한국연락위원회 (겸 광주지회)

(500-070) 광주직할시 북구 용봉동 39-16

(062) 56-4590, 55-2914

2) 국제사면위원회 서울지회

(110-614) 서울특별시 종로구 광화문 우체국 사서함 1411호

(02) 781-7613, 599-8271

3) 국제사면위원회 대구지부

(705-030) 대구직할시 남구 대명동 대명성당

가톨릭 신학원 내

(053) 626-5001

3. 협조사항

회원수, 주요활동상황, 접촉가능성 등 좀 더 상세한 자료를

정보수사기관에서 파악할 필요 있음

0085

관리번호	90-1778

	분류번호	보존기간

발 신 전 보

번 호 : WUK-1632 900928 1353 FC 종별 :

수 신 : 주 영 대사.총영사

발 신 : 장 관 (국연)

제 목 : A.I. 대표단 방한

대 : UKW-1818

연 : (1) 국연2031-32961(9.24), (2) WUK-1603(9.24)

1. 대호 A.I. 대표단의 방한 활동과 관련 관계부처는 2차의 대책회의(청와대주재 및 법무부)를 개최하고, 동 대표단의 방한 이전에 아래와 같은 내용의 아국정부 입장을 전달토록 결정한 바, 동 내용 A.I. 측에 지급 전달하고 결과 보고바람.

가. 한국정부는 A.I.측의 국내인권 상황 파악활동이 객관적이고 공정하게 이루어져, A.I측이 한국내 인권실태에 관하여 편향되지 않고 균형잡힌 시각을 갖게 되기를 희망함

나. 이와관련, 아측은 가능한 범위의 협조를 할 용의가 있음.

o 우리로서는 한국내 안보상황에 대한 올바른 인식을 위하여 동 대표단측이 분단과 남북대립의 현장(판문점지역)을 방문할 것도 필요할 것으로 보며, 정확한 국내인권 실태 파악을 위하여는 보다 다양한 계층의 인사와 단체를 접촉해야 할 것으로 판단함.

///계속...

일반문서로 재분류(80.12.31)

앙고재	90년 9월 28일	UN과	기안자		과 장		국 장		차 관	장 관
			원여헌		[signature]				[signature]	[signature]

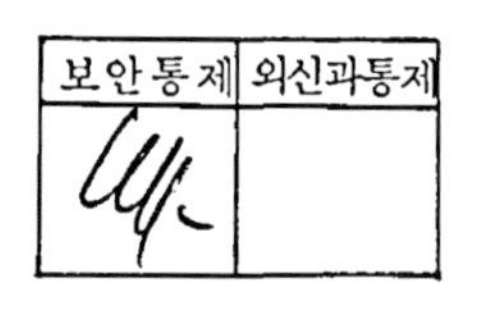

보안통제	외신과통제
[signature]	

0086

o 특히 문화활동 및 종교활동에 관한 인권문제등이 A.I. 측의 관심분야 임에 비추어 문화부 및 여러가지 종교 대표자 단체들과의 면담도 바람직 할 것임.

o 운동권측의 인권 존중도 중요하나 폭력시위등 이들의 활동으로 인해 피해를 입게 되는 여타 시민들의 복지도 고려되어야 하며, 여사한 시위에 따라 부상당하는 경찰의 권리도 생각해 볼 필요가 있음. (이들의 병상도 한번 방문해 봄직 할 것임)

다. 기타 A.I.측이 희망한다면 인권관련 단체의 지도급인사들과의 면담을 주선해 줄 용의도 있음.

2. 또한 Paul Hoffman의 방한시 면담예정인사 및 단체에 관하여 문의하고 가능하면 Ms. Vandale 의 10.10-21간의 방한활동 계획 관련 세부내용도 탐문보고 바람. (단, 본건 확인시 우리 정부가 그들 활동에 간섭하고자 하는 뜻이 전혀 없으며, A.I.측이 인정한 바 있듯이 일방적 정보 취득에 따른 편파성을 줄여보자는 취지임을 설명바람)

3. 한편, 대표단 방한시 법무실장 면담은 10.26. 또는 10.27중 시행예정임. 외무부의 경우 인권문제의 본질적인 내용에 관하여는 언급할 입장이 아니나, 체한중 일정 및 지원요망 사항등의 파악등을 위하여 10.22경 담당과장(또는 국장)의 면담을 검토하고 있음을 참고바람.

4. 연호(1) 4항 KNCC 문서관련 사항도 파악 보고바람. 끝.

(차 관 유종하)

0087

국제사면위 대표단 방한관련 관계부처 회의 (자료)

1. 회의개요

가. 일 시 : 90.9.26(수) 14:30

나. 장 소 : 법무부 소회의실 (과천청사 제1동 216호실)

다. 참석범위

- 회의주재 : 법 무 부 법무실장
- 참 석 : 총 리 실 제1행정조정관

  외 무 부 국제연합과장

  치안본부 수사과장

  대검찰청 공안부장

  문 화 부 종무실장

  공 보 처 법무담당관

  안 기 부 대공수사국장

라. 의 제 : 90.10.21-27로 예정된 국제사면위 대표단 방한관련 관계부처간 대응방안 강구

2. 당부 관련사항

가. 대표단 상세일정 및 면담 인사 파악

- 10.10. 입국예정인 Ms. Vandale의 Paul Hoffman과의 합류이전 개별활동 계획 파악 필요 (당부 확인결과 Hoffman의 체한기간 10.21-28)
- Ms. Vandale은 10.10. 입국후 Hoffman과 합류할 때까지 A.I. 관심대상 죄수가족 및 변호사, 인권단체등을 자체적으로 접촉할 계획

-

0088

나. A.I.측 관심사항 및 A.I.측 태도 평가

o '양심수' 여부

- 문인 · 화가등이 북한에 동조하는 작품활동을 했다는 이유로 관련 법규위반으로 간주되어 표현의 자유, 예술의 자유에 관한 국제 기준에 위배되는 경우 (폭행, 방화, 관련법은 양심수로 취급하지 않음)

o 면담대상

- 외무부 및 법무부 보다는 경찰 및 보안관련 기관의 면담을 원칙적으로 희망
- 문의 희망사항 (별첨)

o 평가 : A.I.측에서는 최근 아국 인권상황의 개선에 대하여 긍정적으로 평가하고는 있으나 한반도 특수안보상황 특히 북한의 실체와 한국내 북한동조세력의 경솔한 행동이 아국의 안정과 안보에 미치는 영향에 대한 인식은 아직 부족한 것으로 보임.

다. 향후대책

o 방한기간중 관계자 면담시

- 남북분단 상황 및 군사적대치 상황 설명 (휴전선 시찰 검토)
- 동 맥락에서 북한동조세력의 국내안정에 미치는 영향 강조 양심수 개념 적용상의 난점과 국가보안법의 필요성 설명
- 이러한 어려운 상황에서도 인권의 최대한 신장을 위하여 아국이 취한 조치들을 설명 (정치적, 시민적 권리에 관한 협약 가입 및 발효 설명, 구속적부심등 구제수단 활용빈도 인용)
- 공안관련 기관에 대한 인권교육 및 기본규칙준수 현황 설명

0089

o 방한후

- 주영대사관, 아국의 인권개선을 계속적인 노력의 홍보와 함께 남북대화의 진전부족, 북한의 대남통일전선 전술 구사 및 북한 내부의 기본인권 말살 현실등 정기적으로 홍보
- 인권관련 영문자료 완성후 주요공관에 배포, 적극 홍보체제 마련
- 기타 향후 인권관련 서한 통계에 따른 대 A.I. 본부 해명 및 홍보 계속

참 고	KNCC 및 민민전 발간물 관련 당부 조치사항

- 주요공관에 동 발간물 내용 배포, 여사한 내용이 주재국 인권단체에 의해 거론될시 적극 대응토록 지시 (단, '민민전' 자료에는 언급의 가치도 없다고 일축 요망)
  * 대상공관 : 미국, 불란서, 유엔, 화란, 독일, 스웨덴, 노르웨이, 벨기에, 호주, 캐나다
- 핵심공관 추가 조치사항
  · 영 국 : A.I.측의 동 문서 접수 여부 문의 및 A.I.측 평가 탐문보고 지시
  · 제네바 : 향후 유엔 인권관련 기구에 대비 지시

0090

* FAX 송부畢.
5/3 12:05시.

수신 : 법무부 인권과 (FAX : 504-1378)

참조 : 권영석 검사

제목 : A.I. 질의서 송부

발신 : 외무부 유엔과

1. 대한민국정부는 수차에 걸쳐 고문을 방치하지 않겠다고 밝힌 바 있음. 이와 같은 방침은 경찰 및 안기부 요원에게 어떻게 전달되고 있는가?

2. 대한민국 헌법 및 형사소송법은 피의자에게 친족 및 자신이 선택한 변호인을 면담할 수 있는 권리를 보장하고 있음. 경찰 및 안기부에 의해 여하히 동 권리를 보장하기 위한 조치를 취하고 있는가?

3. 경찰 및 안기부가 피의자를 구금 및 심문하는 모든 장소가 일반에게 알려져 있는 구치소인가 또는 구속자들이 효율적으로 유치될 수 있는 비밀장소가 있는가? 피의자가 유치되어 있는 모든 장소에 정기적 면회가 보장되어 있는가?

4. 심문절차와 관련, 어떠한 규칙과 절차가 존재하는가? 동 절차, 규칙은 경찰과 안기부 모두 동일하게 적용되는가? 특히,

   4-1 모든 피의자에게 변호사 접견권, 가족면회권, 묵비권등 법률적 권리등이 통보되도록 하는 절차가 도입되어 있는가?

   4-2 심문기간, 장소, 심문시기 등을 규정하는 규칙은 무엇인가? 동 규칙의 법적 위치는 어떠한가?

0091

4-3 피의자 심문에 있어 1회당 심문에 참여할 수 있는 심문인 수를 제한하는 규칙이 있는가? 그러한 경우 동 규칙의 규정내용은?

4-4 심문담당관의 감독에 관한 규칙은?

4-5 개인의 구금 및 심문에 관하여 어떠한 기록이 보존되고 있으며 동 기록은 어떠한 사람들에게 제공되고 있는가?

4-6 동 기록은 피구금자 및 그들의 변호사에게 제공될 수 있는가?

4-7 상기 규칙들은 한국변협이나 타 민간 인권기관이 언급해 왔거나 또는 언급할 수 있는 공문서인가?

5. 모든 구금장소에 상주 또는 동 구금장소를 담당하는 의사가 있는가? 동 의사들이 피의자를 검진하고 동 검진기록을 보관하는 규칙은 무엇인가?

6. 구금된 피의자의 복지 및 보호를 담당하는 기관과 피의자의 심문을 담당하는 기관간에 공식적 분리가 되어 있는가?

7. 피의자의 구속, 구금, 심문을 담당하는 기관원에 대한 인권 교육은 여하히 실시되고 있는가?

8. 경찰이나 안기부에 의해 구금된 사람들이 그들의 불법구속, 고문 또는 부당한 대우에 관하여 탄원을 제기하고자 할 경우 어떠한 탄원 제출 절차가 보장되고 있는가?

9. 법집행관이 피구금자를 고문 또는 부당하게 대우했다고 항의받을 경우 동 법집행관에게 어떠한 징계절차가 취해지는가?

0092

90
-1778

법 무 부

인권 2031-173 503-7045 1990. 9. 28

수신 수신처참조

제목 AI대표단 방한관련 유관부처 실무자 회의개최 결과 통보

1. 인권 2031-12611 ('90.9.24)와 관련입니다.

2. '90.9.26 AI대표단 방한관련 유관부처 실무자 회의개최 결과를 별첨과 같이 통보하오니 업무에 차질이 없도록 적극 협조하여 주시기 바랍니다.

첨부 : AI 대표단 방한관련 유관부처 실무자 회의개최 결과 1부. 끝.

일반문서로 재분류(90.12.31)

법 무 부 장 관

수신처 : 국가안전기획부(참조: 대공수사국장), 외무부(참조: 국제연합과장), 치안본부(참조: 수사과장), 대검찰청(참조: 공안부장), 문화부(참조: 총무실장), 공보처(참조: 법무담당관).

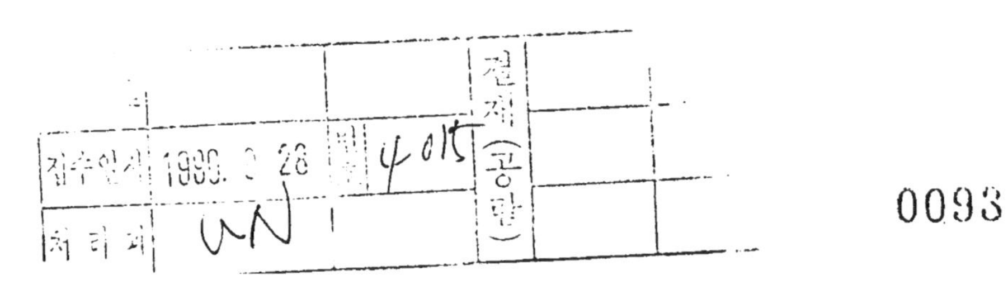

		결재(공람)	
접수일시	1990. 9. 28	4015	
처리과	UN		

0093

AI 대표단 방한관련 유관부처 실무자회의 개최 결과

1. 회의개요

o 일시, 장소 : '90.9.26. 14:30-17:45, 법무부 소회의실

o 참석자

법무실장 (주재)

유관부처 인권담당관 또는 관련과장 (청와대, 법무부, 대검, 외무부, 안기부, 치안본부, 문화부, 공보처)

o 회의주제 : AI 대표단 방한 대비, 관계부처간 대응방안 강구

2. 회의결과

가. 법무부 관계자 면담

주관 : 법무부

o 면담자료 준비 (법무부)

. AI 연례 인권보고서에 대한 정부입장 재강조

. AI 의 토의 희망사항에 대한 설명자료 작성

- 토의 희망사항 및 기타 거론 예상사항에 대해 자료준비 해 두었다가 명확히 대응함이 바람직

9-1

0094

- 안기부, 치안본부의 협조 받아 법무부에서 정리

* 안기부, 치안본부는 10.10까지 법무부에 자료송부

- 그밖에 남북분단의 특수안보상황, 공무수행중 사상당한 경찰관 현황 등 공권력이 도전받는 현실 등에 관한 자료도 준비하여 대응

o 통역 및 면담자료 번역문제

. 통역 : 법무부 검사 (외무부 지원)

. 면담자료 번역

- AI의 토의 희망사항, 정부입장에서 강조할 사항 등에 대해 법무부가 정리한 자료를 외무부에서 번역 (공보처 감수)

- 번역자료를 AI대표단에 교부검토(면담으로 부족한점 보완)

나. KNCC 활동에 대한 대책

o 예장통합 등과 교계지를 통한 견제분위기 조성

. 문화부에서 예장통합 등과 접촉키로 결정

. AI대표단과 문화부를 통한 건전성향의 종교계 인사와의 면담 주선 검토 (외무부, 문화부, 법무부)

9-2

0095

o "사랑의 집" 건립동향에 대한 대책 논의 (자료 : 별첨 1)

o 재소자 관리 철저 및 KNCC 전국교도소 순방에 대한 대책 논의 (자료 : 별첨 2)

다. 대표단의 상세일정과 면담자 파악

o 입국전 공정한 조사활동을 바란다는 정부 공식입장 전달

. 일방적 시각의 보고서 작성에 우려, 공정하고 객관적인 조사를 위하여 각계각층의 인사를 균형있게 면담할 것을 권유 (주영대사)

. 외무부에서 협조 촉구문안 작성
- 협조 : 법무부

o 일정 및 일일 활동상황 파악

. 법무부, 외무부, 안기부, 치안본부의 긴밀한 연락

. 일일 보고체제를 구축하되 감시활동 인상 우려 등 역효과 초래않도록 유의

라. 건전인사와의 면담 주선

o 주영대사가 AI 측과 접촉후 그 결과에 따라 추진(외무부)

o 건전인사 선정 (법무부)

. 각 부처와 협의하여 선정

9-3

0096

. 면담이 결정되면 면담인사에게 인권문제에 관한 정부입장 정리자료 사전 전달

o 휴전선 방문, 화염병 피해 경찰관 면담 제의 (외무부)

. 특수안보상황, 공권력이 도전받는 현실에 대한 이해를 증진시킬 수 있으나, AI 의 성향에 비추어 신중 검토

o 구체적 추진방안은 법무부, 외무부가 긴밀히 협의

마. 북한 인권문제에 관한 관심 환기

o AI 대표단 방한의 목적과 관계없는 북한 인권문제를 거론함으로써 우리의 인권문제를 호도하려는 것 같은 인상을 줄 우려, 최근 남북관계의 진전 등에 비추어 북한 인권문제를 너무 부각시키는 것은 지양

o 북한 인권관련자료 및 북한형법 영문판 제작되는대로 AI 측에 송부 (공보처)

. 협조 : 안기부, 법무부

바. "법과 질서 그리고 인권" 책자 영문요약판 발간 배포 조속 추진 (공보처)

o 협조 : 외무부, 법무부

9-4

0097

사. AI 한국지부 회원 현황파악 및 접촉가능성 검토

ㅇ 현재 5개그룹 (서울2, 대구2, 광주1)이 활동하고 있다고 함

* '89.6 AI 한국지부 결성을 위한 연락위원회 결성

ㅇ 회원수, 주요활동상황, 접촉가능성 등 상세자료를 정보 수사기관에서 파악할 필요 있음

. 안기부에서 동향 파악되는대로 법무부에 통보

9-5

0098

(별 첨 1)

'사랑의 집' 건립동향에 관한 대책

==============================

1. '사랑의 집' 건립동향

국내 인권단체들이 자신들의 위상 제고를 위해 지난 9.1부터 무의탁 장기복역 출소자 수용시설인 '사랑의 집' 건립을 위해 1억원을 목표로 모금운동을 전개하고 있음

2. 문제점

o 무허가 보호사업의 문제

보호사업을 영위하기 위하여는 법무부장관의 허가를 받도록 되어 있으나, 인권단체에서 허가없이 보호사업을 할 경우 무허가 보호사업에 대하여 갱생보호법상 처벌규정이 없어 보호사업의 명목으로 영리행위를 하거나 갱생보호회 또는 이와 유사한 명칭을 사용하지 않는한 법적제재 수단은 없음

o 기부금품모집금지법 위반문제

기금모금운동에 대하여는 기부금품모집금지법 위반으로 의율할 수 있음

o 국가의 보호사업 미흡으로 왜곡 선전 가능

장기복역 출소자에 대한 국가의 보호가 미흡하여 인권단체가 나서서 수용시설 건립을 위한 기금모금을 하는 것처럼 왜곡 선전할 가능성이 있음

0099

9-6

3. 정부의 대응방안

o '사랑의 집'이 건립되어 무의탁자인 장기복역 출소자들을 수용할 경우 보호사업의 명목으로 영리행위를 하는지 여부 등을 파악 (정보수사기관의 협조 필요)

o 보호사업의 허가신청이 들어올 경우 '사랑의 집'의 실질적 운영자의 경제적 능력, 사회적 신망정도, 경영조직, 경리방침의 공개성 여부 등 허가기준에 관하여 철저히 검토

o 기금모금운동에 대하여 기부금품모집금지법 위반으로 처벌하거나 영리행위, 유사명칭 사용 혐의가 있을때 이를 처벌하는 문제는 행위주체가 재야 인권단체들이라는 점에서 신중한 검토 필요

o 국가의 보호사업 미흡이라는 왜곡선전 가능성에 대하여는 출소자들이 원하기만 하면 갱생보호회 또는 그 지부의 보호를 받을 수 있는 시설이 충분하다는 점을 적극 홍보

9-7

0100

(별 첨 2)

재소자 관리 철저 및 KNCC 전국교도소 순방에 대한 대책

1. 재소자 관리 철저

o 불식, 소란 등의 집단 규율위반 사례가 없도록 감독자 현장근무를 강화하여 통모통방 접촉 등을 사전 차단

o 처우와 관련한 문제성을 사전 해소하도록 간부들의 상담을 강화하여 질서생활 순응을 적극 유도

o 관계 근무자를 선별, 정예화하고 관련 직무교육을 강화하여 재소자 처우의 적정 도모

o 가족 및 재야단체와의 연계활동 차단을 위한 불순한 접견 대담통제 및 서신내용 검열 철저

2. KNCC전국교도소 순방에 대한 대책

o 전국교도소 순방 재소자 접견요구

. 재소자 접견은 불허

. 교도소장 등 면담요구시는 허가

- 교정제도와 운영실태 등 설명

9-8

0101

o 재소자 격려엽서 접수

. 서신내용이 재소자의 규율위반 행위를 자극, 선동하는 것은 불허

o 접견을 통한 재소자 불식 등 규율위반행위 유도에 대한 대책

. 친족 이외자 접견 선별 허가

. 재소자 선동 등 불순내용 엄격차단

o 가족 등 재야단체 내소 집단농성에 대한 대책

. 업무관련 이외자 출입통제

. 유관기관 협조, 원천봉쇄 및 조기해산

9-9

0102

관리 번호	90 -1780

외 무 부

원 본

종 별 :

번 호 : UKW-1862 일 시 : 90 0928 1900

수 신 : 장관(국연,구일,기정동문)

발 신 : 주 영 대사

제 목 : A.I.대표단 방한

대:WUK-1632

당관 조참사관은 대호 관련 금 9.28(금) A.I. 연구부장 MR. MALCOLM SMART 를 면담하였으며, 요지 아래와 같이 보고함.(황준국 2 등서기관, 금번 방한예정인 MS VANDALE, 연구원 동석)

1. 조참사관은 금번 대표단 방한에 즈음한 대호 1 항 정부 기본입장과 체한일정에 관한 아측 제의를 전달했으며, A.I. 측은 체한일정 관련 제의에 관하여 검토후 내주초 입장을 알려주겠다고 하였음

2.A.I. 측은 대호 2 항 MR. HOFFMAN 의 별도 면담 예정인사 및 단체와 MS VANDALE 의 사전활동에 관해서, A.I. 가 관심을 가지고 있는 특정 사안에 관여하는 변호사, 학자, 기타 연고인사와 더불어 국제인권 옹호 한국연맹등 아국내 인권단체를 접촉하게 될 것이라고 말하면서, 현재 확정된 일정은 없으나 관심사안 목록을 내주초 통보해 주겠다고 말했음

3. 조참사관은 A.I. 대표단의 금번 방한활동이 객관적인 기초에서 추진되어 아국내 인권상황에 관한 균형잡힌 시각이 확보되도록 아측이 적극 협조할 것임을 강조했는 바, A.I. 측은 이를 환영하고 A.I. 로서도 자신들의 활동이 공평한시각하에 추진되고 방문국내 다양한 인권단체의 직접적인 이해에 영향받지 않도록 항상 유의하고 있다고 말함

4. A.I. 측은 또한 정당이나 국회(외무, 내무 또는 법사위 소속) 인사중 인권에 관해 관심있는 인사와 접촉하여 국가보안법 개정문제, 아국의 세계 인권규약 가입등에 관하여 의견교환의 기회를 가지기를 희망했으니 검토 조치하여 주기바람

5. KNCC 문서는 기 접수했으나, A.I. 가 양심수 문제등 특정 사안에 보다 관심이 있으므로 특별한 의의를 부여하지 않는다는 입장 피력함

국기국 차관 1차보 2차보 구주국 청와대 안기부

90.09.29 05:39
외신 2과 통제관 CF

0103

6. 한편 MR. HOFFMAN 은 주라성총영사관에 사증을 신청하고 대기중이라 하는바, A.I. 측은 동 총영사관측이 HOFFMAN 씨에게 사증신청 관련 각종 문의를 하고 있다고 하면서 아측에서 동인의 방한 경위 요지를 현지공관에 통보해 주기 바라고 있으니, 필요조치 바람. 끝

(대사 오재희-국장)

90.12.31. 까지

PAGE 2

0104

관리 번호	90 -1805

	분류번호	보존기간

발 신 전 보

번 호 : WLA-1300 901005 1804 DY 종별 :

수 신 : 주 라성 대사, 총영사

발 신 : 장 관 (국연)

제 목 : 인권관련 인사 방한

1. Amnesty International(국제사면위)의 미국지부이사(전 지부장)인 Paul Hoffman은 90.10.21-28간 방한, A.I. 본부측에서 10.10부터 파한예정인 Ms. Vandale(한국담당 연구원)과 함께 아국내 인권실태를 파악할 계획으로 있음.

2. 주영대사 보고에 의하면, A.I. 측은 상기 Hoffman씨가 아국 입국 비자를 귀 총영사관에 신청하였으나, 동 발급이 다소 지연되고 있다고 하면서 아측의 협조를 요청하고 있음.

3. 상기 Hoffman씨의 비자신청여부 및 관련사항을 보고바람. 끝.

(국제기구조약국장 문동석)

일반문서로 재분류(90.12.31)

앙 고 재	90년 10월 5일	UN 과	기안자		과 장		국 장		차 관	장 관
			윤여철		(서명)		전결			(서명)

보안통제	외신과통제
(서명)	

0105

48230

기 안 용 지

분류기호 문서번호	국연 2031-	(전화 :)	시 행 상 특별취급	
보존기간	영구·준영구. 10. 5. 3. 1.	장 관		
수 신 처 보존기간				
시행일자	1990. 10. 5.			

보조기관			협조기관		문 서 통 제
	국 장	전 결			
	과 장				
					발 송 인
기안책임자	윤여철				

경 유 수 신 참 조	법무부장관	발신명의	
제 목	A.I. 대표단 방한		

대 : 인권 2031-173

1. 90.9.26. 개최된 A.I. 대표단 방한 대책회의와 관련 당부는 9.25. 주영대사관에 아래와 같은 취지의 아국정부의 입장을 A.I.측에 전달토록 지시한 바 있습니다.

가. 한국정부는 A.I.측의 국내인권 상황 파악활동이 객관적이고 공정하게 이루어져, A.I.측이 한국내 인권실태에 관하여 편향되지 않고 균형잡힌 시각을 갖게 되기를 희망함.

///계속...

1505-25(2-1) 일(1)갑
85. 9. 9. 승인

190mm×268mm 인쇄용지 2급 60g/㎡
가 40-41 1986. 4. 8.

0106

나. 이와관련, 아측은 가능한 범위의 협조를 할 용의가 있음.

o 우리로서는 한국내 안보상황에 대한 올바른 인식을 위하여 동 대표단측이 분단과 남북대립의 현장 (판문점지역)을 방문할 것도 필요할 것으로 보며, 정확한 국내인권 실태 파악을 위하여 보다 다양한 계층의 인사와 단체를 접촉해야 할 것으로 판단함.

o 특히 문화활동 및 종교활동에 관한 인권문제등이 A.I. 측의 관심분야 임에 비추어 문화부 및 여러가지 종교대표자 단체들과의 면담도 바람직 할 것임.

o 운동권측의 인권존중도 중요하나 폭력시위등 이들의 활동으로 인해 피해를 입게 되는 여타 시민들의 복지도 고려되어야 할 것이며, 여사한 시위에 따라 부상당하는 경찰의 권리도 생각해 볼 필요가 있을 것임. (이들의 병상도 한번 방문해 봄직할 것임)

2. 주영대사관은 동 지시에 의거 9.28. A.I. 측을 방문, Smart 연구부장 및 Ms. Vandale 에 동 내용을 전달했는 바, 이에 대한 A.I.측의 반응은 아래와 같습니다. ///계속...

0107

가. A.I.측은 Mr. Hoffman 의 별도 면담 예정인사 및 단체와

Ms. Vandale의 사전활동에 관하여, A.I.가 관심을 가지고

있는 특정 사안에 관여하는 변호사, 학자, 기타 연고

인사와 더불어 국제인권 옹호, 한국연맹등 아국내 인권

단체를 접촉하게 될 것이라고 말하면서, 현재 확정된

일정은 없으나 아측의 일정관련 제의에 대한 A.I.측

입장 및 방한시 관심사안 목록을 내주초 통보 예정임.

나. A.I. 대표단의 금번 방한활동이 객관적인 기초에서

추진되어 아국내 인권상황에 관한 균형잡힌 시각이

확보되도록 적극 협조하고자 하는 아국정부 입장에

대해 A.I. 측은 이를 환영하고 A.I. 로서도 자신들의

활동이 공평한시각하에 추진되고 방문국내 다양한

인권단체의 직접적인 이해에 영향받지 않도록 항상

유의하고 있다고 말함.

다. A.I. 측은 또한 정당이나 국회(외무, 내무 또는

법사위 소속) 인사중 인권에 관해 관심있는 인사와

///계속...

0108

접촉하여 국가보안법 개정문제, 아국의 세계 인권

규약 가입등에 관하여 의견교환의 기회를 가지기를

희망하고 있음.

3. 상기 (다)항의 A.I.측 희망사항 관련, 귀부에서 적절하다고

판단되는 대상인사 있을시 이를 선정, A.I.측과의 면담가능 일정을

주선하여 A.I.측과의 일정 조정등을 위하여 가급적 조속히 당부에

통보하여 주시기 바랍니다.

4. 한편 아국의 인권상황을 비난하는 내용을 담고 있는 KNCC측

배포물 관련, A.I. 측이 KNCC 문서를 기 접수한 바 있으나 A.I가

양심수 문재등 특정 사안에 보다 관심이 있으므로 특별한 의의를 부여

하지 않는다는 입장을 피력하였다 함을 참고로 첨언합니다. 끝.

관리번호	90-1807

원 본

외 무 부

종 별 : 지 급

번 호 : LAW-1273　　　　일 시 : 90 1005 1620

수 신 : 장관(국연,영사)

발 신 : 주 라성 총영사

제 목 : 인권 관련인사 비자 신청

대 : WLA-1300

연 : LAW-1252

대호, PAUL HOFFMAN 은 9.25. 당관에 입국사증 발급을 신청 하였는바, 당관은 9.28 연호와 같이 본부에 사증발급 승인을 요청 하였음을 보고함. 끝.

(총영사 박종상-국장)

예고:90.12.31 까지

일반문서로 재분류(90.12.31)

국기국　영교국

PAGE 1　　　　90.10.06 11:47

외신 2과 통제관 FE

0110

관리 번호	90 -1814

원 본

외 무 부

종 별 :

번 호 : UKW-1914 일 시 : 90 1008 1700

수 신 : 장관(국연,구일,기정)

발 신 : 주 영 대사

제 목 : A.I.대표단 방한

연: UKW-1862

A.I. 연구부장 MR.MALCOLM SMART 는 10.5(금)자 서한으로 연호 아측제의에 대한 A.I. 측 입장을 아래요지와 같이 통보해왔기 보고함. A.I. 대표단의 추가일정이 결정되는 대로 당관에 통보해 주시기 바람. 상기 서한은 금주파편 송부하겠음.

1. 한국 관계당국이 A.I. 대표단으로 하여금 법무부 및 외무부 관리들과 면담토록 일정을 준비하여준데 대해 사의를 표함.

2. 금번 대표단의 방한목적은 개별사안에 관한 조사에 한정되어 있는 바, 구금된 특정인사가 A.I. 기준에 따른 양심수인지 여부와 공정한 재판을 받았는지 여부에 관해 판별하고, 구금된 자들에 대한 부당한 처우와 고문혐의에 대해 조사함과 더불어 사형제도에 관한 정보를 수집하고자함.

3. 금번 A.I. 대표단은 과거의 예와같이 구금된 자들의 친척, 친지, 이미 구금된 일이있던 자들 및 관련 변호사를 면담하고자 하며, 법조계, 재판부, 정계등 광범위한 인사들과 접촉, 인권옹호를 위한 일반적인 논의를 가지고자 희망함.A.I. 대표단은 또한 북한의 인권사정에 관심이 있으므로 이에관한 정보를 가진학자 기타인사를 접촉하고자함.

4. A.I. 의 명성과 능률이 객관성과 공평성에 달린만큼 대표단원은 이를 유념할 것이며, 한국측이 제의한 인권단체의 지도급인사 및 문화분야 관계 관리들과의 면담을 환영함. 다만, 종교지도자들과의 면담은 연관성은 있겠으나 종교의 자유자체가 문제되고 있지 않은 만큼 중요치 않다고 보며, A.I. 가 폭력을 사용하거나 이를 조장하는 자들의 관련사건을 거론하지 않는 만큼 시위진압 과정에 부상을 입은 경찰을 만나는 것은 부적절한 것으로봄.

5. 판문점 방문제의에 관해서는 한반도의 정치.군사 정세가 남. 북한의 인권에

국기국 차관 1차보 2차보 구주국 청와대 안기부

PAGE 1 90.10.09 10:07

외신 2과 통제관 EZ

0111

직접적 영향을 주고있음을 이해하나, 판문점 현장 방문보다는 서울에서 군 또는 관계 관리들과 만나 북한으로 부터의 안보위협의 양상과 그러한 위협이 표현 및 결사의 자유 그리고 북한인들과의 사적 접촉에 영향을 미치는 측면에 관해서 의논할 수 있기를 선호함.

(대사 오재희-차관)

예고:90.12.31 일반

48875

기 안 용 지

분류기호 문서번호	국연 2031-	(전화 :)	시 행 상 특별취급	지연
보존기간	영구·준영구. 10. 5. 3. 1.	장 관		
수 신 처 보존기간				
시행일자	1990. 10. 10.			

보조기관	국 장	전 결	협조기관		문 서 통 제
	과 장				검열 1990.10.10 통제관
기안책임자		송영완			발 송 인

경 유 수 신 참 조	법무부장관	발신명의		발송 1990.10.10 외무부
제 목	A.I. 대표단 방한			

연 : 국연 2031-48230 (90.10.5)

연호, A.I. 대표단 방한에 관한 아국정부의 입장에 대하여 A.I.측은 하기 내용을 주영대사관에 알려온 바 동 대표단 방한 대책 수립에 참고하시기 바랍니다.

- 아 래 -

1. 금번 대표단의 방한목적은 개별사안에 관한 조사에 한정되어 있는 바, 구금된 특정인사가 A.I. 기준에 따른 양심수인지

/ 계속 /

1505-25(2-1) 일(1)갑
85. 9. 9. 승인

190mm×268mm 인쇄용지 2급 60g/㎡
가 40-41 1986. 7. 4.

0113

여부와 공정한 재판을 받았는지 여부에 관해 판별하고,

구금된 자들에 대한 부당한 처우와 고문혐의에 대한 조사

함과 더불어 사형제도에 관한 정보를 수집하고자 함.

2. 금번 A.I. 대표단은 과거의 예와 같이 구금된 자들의 친척,

친지, 이미 구금된 일이있던 자들 및 관련 변호사를 면담

하고자 하며, 법조계, 재판부, 정계등 광범위한 인사들과

접촉, 인권옹호를 위한 일반적인 논의를 가지고자 희망함.

A.I.대표단은 또한 북한의 인권사정에 관심이 있으므로

이에 관한 정보를 가진 학자 기타 인사를 접촉하고자 함.

3. A.I. 의 명성과 능률이 객관성과 공평성에 달린만큼

대표단원은 이를 유념할 것이며, 한국측이 재의한 인권

단체의 지도급 인사 및 문화분야 관계 관리들과의 면담을

환영함.. 다만, 종교지도자들과의 면담은 연관성은 있겠

으나 종교의 자유자체가 문제되고 있지 않은 만큼 중요치

않다고 보며, A.I.가 폭력을 사용하거나 이를 조장하는

자들의 관련사건을 거론하지 않는 만큼 시위진압 과정에

부상을 입은 경찰을 만나는 것은 부적절한 것으로 봄. / 2...

1505-25(2-2) 일(1)을 "내가아낀 종이 한장 늘어나는 나라살림" 190㎜×268㎜ 인쇄용지 2급 60g/㎡
85. 9. 9. 승인 가 40-41 1988. 9. 23

0114

4. 판문점 방문재의에 관해서는 한반도의 정치.군사 정세가

남.북한의 인권에 직접적 영향을 주고 있음을 이해하나,

판문점 현장 방문보다는 서울에서 군 또는 관개관리들과

만나 북한으로 부터의 안보위협의 양상과 그러한 위협이

표현 및 결사의 자유 그리고 북한인들과의 사적 접촉에

영향을 미치는 측면에 관해서 의논할 수 있기를 선호함.

0115

공

-새-이 송

관리번호 90-1842

주 영 대 사 관

영국(정) 723-80　　　　　　　　　　　　　1990. 10.9.

수신 : 장관

참조 : 국제기구조약국장

제목 : A.I. 대표단 방한

연 : UKW-1914

연호 A.I. 서한 별첨 송부합니다.

첨부 : 동 공한 사본 1부. 끝.

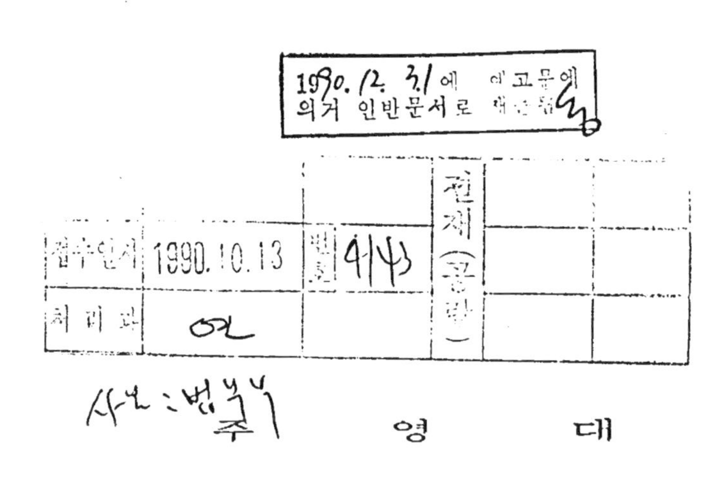
1990. 12. 31 에 예고문에 의거 일반문서로 재분류

접수일시	1990.10.13	번호	4143	전제(공람)		
처리과	02					

사본 : 법무부

주 영 대

0117

SECRETARIAT INTERNATIONAL,
1 Easton Street, Londres WC1X 8DJ,
Grande-Bretagne.

TG ASA 25/90.14

Mr Cho Sang Hoon
Counsellor
Embassy of the Republic of Korea
4 Palace Gate
London W8 5NF

5 October 1990

Dear Mr Cho,

I am writing to you about the forthcoming visit to Korea of Amnesty International delegates and to follow up on our discussion on Friday last week.

First, I would like to reiterate our appreciation for the willingness of the authorities of the Republic of Korea to allow Amnesty International delegates to visit Korea and for arranging meetings with officials of the Ministries of Justice and of Foreign Affairs.

The purpose of the delegation's visit is strictly confined to looking into the cases of prisoners in order to ascertain whether they are "prisoners of conscience" (Amnesty International calls prisoners of conscience people detained for their beliefs, colour, sex, ethnic origin, language or religion who have not used or advocated violence) and have been given a fair trial in conformity with international standards, as well as to look into allegations that prisoners have been ill-treated or tortured and to seek information on the use of the death penalty. Apart from looking at individual cases, the Amnesty International delegates will also seek the views of people representative of a wide range of political opinion on the protection of human rights in general, as well as on such issues as legislative reforms.

During this visit, as in previous visits by Amnesty International, the delegates will seek to meet relatives and friends of political prisoners, former prisoners and lawyers who are representing political prisoners, in order to clarify, as far as possible, the reasons and circumstances of the arrest, and other information about individual prisoners. They will also seek to discuss more general issues related to the protection of human rights with representatives of the legal , profession, judges, and representatives of political parties.

Amnesty International is also concerned about the human rights situation in North Korea and the delegates may seek to meet academics and others who may have information on this.

☎ (44)(71) 413 5500 Télegrammes: Amnesty London WC1 Télex: 28502 Télécopie: 956 1157

Amnesty International's reputation and effectiveness in the defence of human rights rest on its objectivity and impartiality and the organization's delegates are expected to conduct their visit in such a manner.

In an effort to ensure that the Amnesty International delegates meet a wide range of people with different opinions on human rights issues, the delegates will be pleased if, as you proposed, the authorities could arrange meetings with leaders of human rights organizations and with officials in the cultural field. We are aware of the differing opinions of religious leaders on political issues, but feel that since freedom of religion is respected in the Republic of Korea and, to our knowledge, nobody is detained in violation of this right, it is not important that our delegates should have meetings with religious leaders. In addition, as I explained to you, Amnesty International does not take up the cases of people who use or advocate the use of violence and we feel that it is neither necessary nor appropriate for our delegates to have meetings with police officers wounded during anti-government demonstrations. Moreover, although the political and military situation on the Korean peninsula directly affects human rights situation in both the north and the south, rather than have our delegates visit Panmunjom we would prefer that meetings should be arranged for them in Seoul with relevant military or other officials to discuss the extent and nature of the threat to the country's national security perceived from the north and how this affects matters such as freedom of expression and association, and private contacts with people in the north.

We welcome any other suggestions you may have on people whom you feel the Amnesty International delegates should meet in order to acquire a broad and objective understanding of the human rights situation.

0119

I look forward to hearing from you on the meetings arranged for the Amnesty International delegates.

Yours sincerely,

Malcolm Smart
Head of the Research Department

0120

관리번호	90-1840

원 본

외 무 부

종 별 :

번 호 : UKW-1939 일 시 : 90 1012 1400

수 신 : 장관(국연,구일)

발 신 : 주 영 대사

제 목 : A.I.대표단 방한

연: UKW-1862

A.I. 연구부장 MR. MALCOLM SMART 는 금 10.12.(금) 당관에 연락하여 연호 6항 MR. HOFFMAN 이 10.11.(목) 현재 주라성 아국 총영사관으로 부터 비자를 발급받지 못하고 있다고 하면서 당관의 협조를 요망해 왔으니 적절한 조치를 취해주기 바람. 끝

(대사 오재희-국장)

90.12.31. 까지

일반문서로 재분류(90.12.31)

국기국 구주국

PAGE 1

90.10.13 07:50

외신 2과 통제관 BT

0121

SECRETARIAT INTERNATIONAL,
1 Easton Street, Londres WC1X 8DJ,
Grande-Bretagne.

– Ms. Vandale에 제출

TG ASA 25/90.14

Mr Cho Sang Hoon
Counsellor
Embassy of the Republic of Korea
4 Palace Gate
London W8 5NF

5 October 1990

Dear Mr Cho,

I am writing to you about the forthcoming visit to Korea of Amnesty International delegates and to follow up on our discussion on Friday last week.

First, I would like to reiterate our appreciation for the willingness of the authorities of the Republic of Korea to allow Amnesty International delegates to visit Korea and for arranging meetings with officials of the Ministries of Justice and of Foreign Affairs.

The purpose of the delegation's visit is strictly confined to looking into the cases of prisoners in order to ascertain whether they are "prisoners of conscience" (Amnesty International calls prisoners of conscience people detained for their beliefs, colour, sex, ethnic origin, language or religion who have not used or advocated violence) and have been given a fair trial in conformity with international standards, as well as to look into allegations that prisoners have been ill-treated or tortured and to seek information on the use of the death penalty. Apart from looking at individual cases, the Amnesty International delegates will also seek the views of people representative of a wide range of political opinion on the protection of human rights in general, as well as on such issues as legislative reforms.

During this visit, as in previous visits by Amnesty International, the delegates will seek to meet relatives and friends of political prisoners, former prisoners and lawyers who are representing political prisoners, in order to clarify, as far as possible, the reasons and circumstances of the arrest, and other information about individual prisoners. They will also seek to discuss more general issues related to the protection of human rights with representatives of the legal profession, judges, and representatives of political parties.

Amnesty International is also concerned about the human rights situation in North Korea and the delegates may seek to meet academics and others who may have information on this.

☎ (44)(71) 413 5500 Télegrammes: Amnesty London WC1 Télex: 28502 Télécopie: 956 1157

Amnesty International est un mouvement mondial indépendant qui intervient impartialement pour obtenir la libération de tous les prisonniers d'opinion, un jugement équitable rendu dans des délais raisonnables pour tous les prisonniers politiques et l'abolition de la torture et des exécutions. Elle est financée par les dons qu'elle reçoit de ses membres et de ses ... entretient des relations avec les Nations Unies, l'Unesco, le Conseil de l'Europe, l'Organisation de l'Unité africaine et l'Organisation des

Amnesty International's reputation and effectiveness in the defence of human rights rest on its objectivity and impartiality and the organization's delegates are expected to conduct their visit in such a manner.

In an effort to ensure that the Amnesty International delegates meet a wide range of people with different opinions on human rights issues, the delegates will be pleased if, as you proposed, the authorities could arrange meetings with leaders of human rights organizations and with officials in the cultural field. We are aware of the differing opinions of religious leaders on political issues, but feel that since freedom of religion is respected in the Republic of Korea and, to our knowledge, nobody is detained in violation of this right, it is not important that our delegates should have meetings with religious leaders. In addition, as I explained to you, Amnesty International does not take up the cases of people who use or advocate the use of violence and we feel that it is neither necessary nor appropriate for our delegates to have meetings with police officers wounded during anti-government demonstrations. Moreover, although the political and military situation on the Korean peninsula directly affects human rights situation in both the north and the south, rather than have our delegates visit Panmunjom we would prefer that meetings should be arranged for them in Seoul with relevant military or other officials to discuss the extent and nature of the threat to the country's national security perceived from the north and how this affects matters such as freedom of expression and association, and private contacts with people in the north.

We welcome any other suggestions you may have on people whom you feel the Amnesty International delegates should meet in order to acquire a broad and objective understanding of the human rights situation.

0123

I look forward to hearing from you on the meetings arranged for the Amnesty International delegates.

Yours sincerely,

Malcolm Smart
Head of the Research Department

0124

국제사면위 Vandale 한국담당관 면담자료

1. 면담개요

가. 일 시 : 90.10.12.(금) 15:00

나. 장 소 : 국제연합과 사무실

다. 배 석 : 송영완 사무관

2. A.I. 대표단 방한 개요

가. 대 표 단 : Paul Hoffman A.I. 미국지부 이사

Ms. Vandale 한국연구담당관

나. 방한기간 : 10.11-28. (Ms. Vandale)

10.21-28. (Mr. Hoffman)

다. 방문목적 : 국제사면위관심대상인 개별사안의 조사

i) 특정인사의 양심수 여부, 공정재판 부여 여부 조사

ii) 구금시 부당처우 또는 고문혐의 조사

3. 말씀요지

가. A.I. 대표단측 일정 탐문

o 정부는 A.I. 대표단의 방한 조사활동이 원활히 이루어지도록 적극 협조하고자 하는 바 개략적인 방한일정을 설명해 주면 관계인사 면담주선시 참고하였음. Hoffman씨의 일정계획과 희망 사항도 알려주면 주선에 도움이 되겠음.

0125

나. 아측 협조제공 진행상황 설명

10:00 - 12:00 일정.

- 이미 통보받았듯이, 법무부 법무실장과의 면담이 10.26. 또는 27로 예정되어 있으며 A.I.측이 원하면 국제인권옹호 한국연맹측과의 면담도 주선 가능함. A.I.측이 요청해온 정당 및 국회인사와의 면담도 현재 주선중에 있음.
- 아측은 Hoffman 씨의 입국비자신청 접수 보고를 받고 비자발급 관련 협조해 줄 것을 영사관에 지시했음.

다. 아국내 인권상황의 특수성 설명

- 민주주의의 역사가 서로 다른 서구제국과 개도국과의 인권기준의 차이의 인정 필요
- 특히 아국은 분단상황으로 인하여 휴전선상의 군사적 대치 이외에도 83년 랑군 암살사건, 88년 KAL기 폭파사건등의 국가전복을 기도한 북한의 방해공작 (sabotage)을 경험하였는 바, 이에 대응 사회 및 체재 수호의 차원에서의 대공수사의 강화가 요청되어 왔음.
- 제 6공화국 출범이후, 민주화와 인권존중 정신의 북측의 공작 가능성에 대한 민주사회의 수호와 최대한의 인권보장간의 이상적인 균형을 모색하여 왔는 바, 한국의 민주화는 국제적으로도 평가를 받고 있으며 최근 42차 인권소위에서도 아국내 인권문재를 재기한 정부대표는 없었음. H.R. Sub-Commission (August)

라. 아측 문의사항

- 아측의 문화부의 종고관계자 면담 주선 재의는 당초 종고계 지도자들을 통하여 종고활동이외의 활동에 개입하는 일부 종고단체들의 활동과 관련, 올바른 시각을 가질 기회가 될 것으로 기대 되어서였음.
- 한편 문화분야 관계자의 면담을 A.I.측에서 희망하는 이유를 문의하고자 함. 물론 귀측이 원하는 인사와 관계자들과의 면담을 주선하고자 하나 만약 동 면담이 표현의 자유와 국가보안법간의 상충 여부등을 알기 위한 것이라면 이는 법 적용을 책임지고 있는 법무부와 논의해야 할 것으로 사료됨.

0126

o 외무부 측에서는 어떤 종류의 인사와 면담을 희망하는지 알려 주시면 준비해 보겠음.

마. 맺는말씀

o 금번 방한기간중 다양한 계층 및 분야의 인사들을 접촉하여 대외적으로 목소리가 컸던 단체만을 통하여 접하였던 한국 인권 상황에 대한 현실을 파악하고 가게 되시길 바람.

o 향후 필요한 협조 있을시 언제라도 부탁바람. 끝.

0127

국제사면위 Vandale 한국담당관 면담요록

90. 10. 12.

1. 면담요록 : 90.10.12(금) 15:00-16:15

2. 면 담 자 : 외무부 국제연합과장 이규형

   (배석 : 국제연합과 송영완 사무관)

3. 말씀요지

이 : 방한을 환영함. 정부는 A.I.대표단의 방한 조사활동이 원활히 이루어질 수 있도록 적극 협조코자 함. 개략적인 방한일정을 설명해 주면 면담주선등 적극 협조하겠음.

반 : 한국정부의 협조에 감사드림. 방한기간중 가급적 사실확인에 촛점을 맞추고자 하며 소위 정치범으로 일컬어지는 사람들, 그들의 가족, 친지, 변호사등과의 폭넓은 접촉을 원함.

이 : 귀측이 접촉하는 사람들이 일방적 주장만을 하는 그룹의 인사로 국한된다면 편파적 견해를 갖을 우려가 있으므로 공정한 사실확인을 위해 돕고싶은데 현재 면담이 주선되고 있는 단체는?

반 : 현재 한국 국재인권옹호연맹 (International League of Human Rights in Korea)의 이종목, 한승희씨(발음 정확치 않음)와의 면담이 주선되고 있고 KNCC, 민가협등 관계자들도 면담할 예정임. 수감인들의 상태와 관련 대한적십자사 관계자들의 면담을 고려중이나 시간상 면담 추진 여부를 확정치 못하고 있음.

앙 90년	담 당	과 장	국 장
고 10월			
재 12일	송영완	(서명)	(서명)

0128

이 : 10.26-27중 법무부 법무실장과 면담 및 오찬을 계획중이며, 10.23-
24중 오유방 의원과이 면담도 주선중임. 귀측에서 문화부 관계자
들의 면담도 희망하고 있는 것으로 알고 있는 바, 귀측이 원하는
인사와의 면담주선은 별 문제가 없으나 만약 동 면담이 표현의 자유와
국가보안법간의 상충여부를 알기 위한 것이라면 법무부와 논의해야
할 것으로 보임.

반 : 법무부 법무실장 면담 및 오찬과 오의원 면담일시는 귀측이 시간을
결정, 통보해 주는대로 따르겠음. 또한 귀의견대로 문화부 관계자
들과의 면담대신 법무부 인사 면담시 표현의 자유와 국가보안법간의
상충여부 등을 협의토록 하겠음.

이 : 이번이 귀하의 5번째 방한이므로 잘 알겠으나 아국내 최근 인권상황을
잘 확인할 수 있게 되기를 바람. 이를 위하여 정계, 법조계등 사회
각층의 인사를 접촉할 필요가 있을 것인 바, 법무부에서 인권관련
단체 명단을 받아 그중 귀하가 원하는 단체들과 접촉토록 하면 보다
효율적으로 공정한 사실확인이 가능하지 않을까?

반 : 제의에 감사함. 한국내 인권단체의 명단을 주시기 바라며 서로
다른 견해를 가진 많은 사람들을 만나보겠음.

이 : 법무부에서 명단을 받는 즉시 FAX로 송부하겠음. 추가로 면담주선
희망단체나 인사가 있으면 알려주기 바람. 면담주선을 위해 노력
하겠음.

반 : 하기 인사의 연락처를 통보해 주시면 대단히 고맙겠음.

o 호프만과의 면담주선 대상인사 (10.22-27중)

- 북한으로부터의 안보위협의 양상과 그러한 위협이 표현 및
결사의 자유 그리고 북한인들과의 사적 접촉에 미치는 영향
등을 설명해 줄 수 있는 군 또는 관계 정부인사

0129

- 북한관계 전문가
- 인권문제를 담당하고 있는 여당의원
- 법원에서 인권문제를 다루는 판사 또는 관련인사

o 반대일 체류중 (10.28.까지) 면담 희망 인사
  (10.22-27중 으로 면담이 주선될시 호프만도 동석 예정)
  - 최근 동구권 국가를 경유 월남한 북한학생 2명

반 : 또한 최근 북한 형법이 출판된 것으로 보도되었는데 동 책자를 구득하기를 희망하며 가능하면 전문가로부터 북한 형법에 대한 설명을 듣고 싶음. 이는 북한의 체재연구에 큰 도움이 될 것으로 생각됨.

이 : 남북한 관계의 이해를 위한 노력에 사의를 표함. 귀 요청을 법무부와 협의하여 연락처를 통보하여 주겠으며 가능한 경우에는 면담도 주선해 주겠음. 추후 요청사항이 있을시 연락바람.

반 : (숙소 관련사항을 전달하고) 한국정부의 협조에 감사드림. 끝.

* 반대일 숙소 : 명동 Savoy 호텔 807호
  - Tel : 776-2641
  - FAX : 755-7669

0180

법무부 확인요망 사항

90. 10. 12.

1. 국내 인권관련 단체 및 대표자 명단 (연락처 포함)

2. 연락처 확인 (면담주선 가능시 면담주선 포함) 요망사항

   o 북한으로 부터의 안보위협의 양상과 그러한 위협이 표현 및 결사의 자유 그리고 북한인들과의 사적 접촉에 미치는 영향을 설명해 줄 수 있는 군 또는 관계 정부인사

   o 북한관계 전문가

   o 인권문제를 담당하고 있는 여당의원

   o 법원에서 인권문제를 다루는 판사 또는 관련인사

   o 최근 동구권 국가를 경유 월남한 북한학생 2명

   o 북한 형법 전문가

3. 최근 출판된 북한 형법 책자 증정 가능 여부. 끝.

0131

재 급

50946

기 안 용 지

분류기호 문서번호	국연 2031-	(전화 :)	시행상 특별취급	
보존기간	영구·준영구. 10. 5. 3. 1.	장 관		
수신처 보존기간				
시행일자	1990. 10. 16.			

보조기관			협조기관		문서통제
	국 장	전 결			검열 1990.10.17 총 재 관
	과 장				
기안책임자	송영완				발송인

경유 수신 참조	법원행정처장 기획실장	발신명의		발송 1990 10 17 외무부
제 목	국제사면위(Amnesty International) 대표단 방한			

1. 국재사면위(A.I)는 각국의 인권침해사안(특히 양심수 관련 사안)에 대한 조사활동을 주임무로 하는 국제민간기구인 바, 90.10월중 하기 대표단을 아국에 파견하여 구금된 특정인사가 A.I.기준에 따른 양심수 인지 여부와 공정한 재판을 받았는지 여부에 관해 조사활동을 전개할 예정입니다.

- 아 래 -

가. Mr. Paul Hoffman (90.10.21-28. 체한예정)

/ 계속 /

1505-25(2-1) 일(1)갑
85. 9. 9. 승인

190mm×268mm 인쇄용지 2급 60g/m²
가 40-41 1986. 7. 4.

0132

- A.I. 미국지부이사 (전지부장) 겸 미국 남가주

시민자유조합 법무담당

나. Ms. Francoise Vandale (90.10.11-28. 체한예정)

- A.I. 본부 한국담당관

2. 상기 A.I. 대표단 방한관련, 정부는 아국의 인권상황에 대한 공정하고 객관적인 실상을 파악할 수 있도록 협조키로 결정하고 동 대표단 체한중 면담 희망인사를 문의한 바, 동인들은 법조계, 재판부, 정계등 광범위한 인사들과 접촉을 희망함을 알려왔습니다.

3. 이에 따라 당부는 동 대표단과 아국정부, 정계, 학계 인권관련 인사와의 면담을 주선중이며 또한 재판부의 인권담당 판사 또는 법원 인권관계 업무 담당인사의 면담을 주선코자 하오니 가급적 90.10.22-27 기간중 적절한 관계인사와의 면담이 가능토록 협조하여 주시기 바라며 동 면담인사의 직.성명 및 면담가능 일시를 당부로 회보하여 주시기 바랍니다.

4. 상기 A.I. 대표단중 Ms. Vandale은 87년 방한중 아국 법원관계자를 면담한 바 있다함을 참고바라며, 면담관련 자료등은 법무부에서 귀처로 (인권과) 송부 예정임을 알려드립니다.

첨 부 : A.I. 조직 및 운영 자료 1부. 끝.

법 무 부 인 권 과

1990. 10. .

아래 문건을 수신자에게 전달하여 주시기 바랍니다.

제 목 : AI 인터뷰 자료 등

수 신 : 국제연합과 송영완 서기관님

(수신처 FAX NO: 720. 2686)

발 신 : 법무부 인권과

표지포함 총 3 매

F A X	외무부 No.	제 101806호
	접 수 [illegible]	유엔과
	[illegible] 처	법무부
	10/19. 11:50	

0134

A. I. Interview 자료

1) o 변호인 접견권 : Right to Access the Counsel

   o 변호인 선임권 : The Right to Counsel, Right to have the Assistance of Counsel

2) o 증거능력 : The Admissibility of Evidence

   o 증거능력 배제 : Exclusion of Evidence

   o 증거능력을 부인함 : ruled the evidence inadmissible

3) 형사소송규칙 : Court Regulation on Criminal Procedure

4) 사법경찰관리직무규칙 (법무부령) : Administrative Regulation on Police Officials Law Enforcement (Issued by Ministry of Justice)

5) 법정대리인 : Legal Representative

6) o 참여주사 : Clerical Official, Clerk of the Prosecutor's Office

   o 사법경찰리 : Assistant Judicial Police

7) 인신구속관련 직무행위자의 가혹행위등 처벌규정 (형법 제125조)

   125 Paragraph of Penal Code that provides the punishment against the violence and cruel act of those performing duties concerning the restraint of the human body

0135

8) (구속) 관련부책 : Other Documents Pertaining to Detention

9) o 경찰서 촉탁의 위촉규정 : Police Internal Regulation on Assignment of Doctor for Detainees

o 공 의 : Assigned Medical Doctor

10) o 행 형 법 : Penal Administration Act.

o 행형법시행령 : Administrative Regulation on Penal Administration

o 구 치 소 : Detention Houses

11) o 교도관 직무규칙 : Regulation on Excution of Duties of Prison Office

o . 재소자 건강진단규칙 : Regulation on Regular Physical Checkup of Inmates

12) o 경 무 과 : Administration Division

o 수 사 과 : Investigation Division

o 대 공 과 : Public Security Division

0136

법 무 부 인 권 과

1990. 10. 16.

아래 문건을 수신자에게 전달하여 주시기 바랍니다.

제 목 : AI 대표단 면담 요의 희망사항

수 신 : 국제연합과 송영완 서기관님

(수신처 FAX NO: 720 2686)

발 신 : 법무부 인권과

표지포함 총 10 매

F A X	외무부 No.	제 101615 호
	접 수 과	유엔과
	발 신 처	법무부
	10/16	14:25

0137

A I 대표단 면담 토의 희망사항

1. 정부의 고문불허방침이 경찰· 안기부 요원에게 어떻게 전달되고 있는가

o 수사상 적법절차의 준수는 제6공화국 정부의 기본방침임

o 이러한 방침은 내무부장관과 안기부장을 통한 지휘통솔 및 내부감독의 강화로 강력하게 전달되고 있음

o 또한 수사지휘권이 있는 검사에 의한 교육 및 구속장소 감찰을 통하여 구체적으로 감시감독이 이루어지고 있음

o 그리고 안기부에서는 인권보호에 관한 헌법의 정신 및 정부의 기본방침에 따라 수사지도실을 설치, 전 수사요원을 대상으로 피의자 인권옹호에 대해 정기적으로 교육을 실시하고 특히 수사착수전에는 반드시 피의자에 대하여 부당한 처우를 하지 않도록 충분히 교육을 실시하는 한편, 수사 과정에서 그 내용이 충분히 준수되도록 독려하고 있음

0138

2. 피의자의 변호인 접견권 보장을 위한 경찰. 안기부의 조치

o 과거부터 체포. 구금시 변호인 선임권을 고지하고, 구속시 그 가족에게 구속통지하면서 그 취지를 함께 고지하여 왔음

o 피의자 혹은 변호인이 면담, 접견을 요청하면 수사진행상황을 고려하여 최대한 보장하고 있으며 우리 법원은 변호인 접견이 차단된 상태에서 작성된 증거에 대해 증거능력을 부인함으로써 (예: 홍성담사건) 수사기관으로 하여금 접견을 보장하도록 하고 있음

3. 경찰. 안기부의 피의자 구금장소, 면회보장여부

o 경찰 및 안기부 모두 항상 일반인에게 알려져 있는 경찰서 유치장에 구금하며 비밀장소는 있을 수 없음

o 구속통지서에 구금장소를 알려 주어 가족 등이 면회를 할 수 있도록 보장하고 있으며 야간이나 공휴일을 제외하고는 면회를 허용하고 있음

0139

4. 신문절차관련 규칙.절차 유무 및 경찰. 안기부에의 적용여부

o 형사소송법, 형사소송규칙, 사법경찰관리 집무규칙(법무부령) 등의 규정이 있고, 모두에게 적용됨

4-1. 헌법 및 형사소송법은 구속이나 조사시에 변호인접견권, 가족면회권, 묵비권등을 보장하도록 되어 있고, 변호인 선임권과 묵비권은 이를 고지하도록 되어 있음. 변호인선임권의 경우, 피의자를 구속한 때 피의자의 법정대리인이나 배우자, 직계친족등에게 구속일시.장소, 구속이유, 변호인을 선임할 수 있는 취지를 3일이내에 서면으로 통지하도록 되어 있고, 묵비권의 경우, 신문전 미리 고지하도록 되어 있음. (헌법제12조, 형사소송법 제200조 제2항, 제209조, 제88조, 제89조, 형사소송규칙 제51조)

4-2. 신문기간, 장소, 신문시기 등을 규정하는 규칙

- 이와 관련한 특별한 규정은 없으나 형사소송법 제309조에 의하여 강제등 자백의 증거능력이 제한되고 있어 간접적으로 규제하고 있음

0140

4-3. 피의자 신문시 1회당 신문에 참여할 수 있는 신문인 수를 제한하는 규칙 유무, 내용여하

- 직접적으로 신문인 수를 제한하는 규정은 없음

- 형사소송법상 검사는 검찰주사를, 사법경찰관은 사법경찰관리를 참여시켜 조사토록 하고, 조서작성후 서명날인해야 하므로 조서 1건당 신문인 수는 2인 이상임

- 현행법상 변호인의 신문참여가 필요적이라는 규정은 없음

4-4. 신문담당관의 감독에 관한 규칙

- 신문담당관의 상급자는 직무상 감독권이 있고, 일반적으로 검사가 구속장소 감찰시에도 가혹행위 여부등을 감독하고 있으며, 형법 (예를들면 제125조의 인신구속관련 직무행위자의 가혹행위등 처벌규정)등에 의해 규율되고 있음

4-5. 개인의 구금 및 신문에 관한 기록

- 구금관련 기록으로는 구속영장, 구속영장신청부, 구속인명부 등이 작성 보존되며, 일반인의 열람은 불가능함

0141

- 신문관련 기록으로는 피의자 신문조서를 작성하여 본인 열람 및 증감변경후 서명날(무)인하고 신문자.참여자 서명하여 기록보존 하며, 기소후 변호인은 열람. 등사 가능

4-6. - 구금관련 기록으로 구속영장을 피의자 본인에게 제시하고 집행하며, 구금시 가족에게 구속통지하는 외에 관련부책은 피의자 본인, 변호인에게 제공 불가

- 신문관련 기록은 피의자 신문조서로서 피의자 본인 조사후 반드시 열람시킴, 변호인은 기소후 열람. 등사 가능

4-7. 형사소송법 및 사법경찰관리 집무규칙 등은 한국법전에 수록되어 있으며 변협 등 민간단체들도 숙지하고 있는 규정임

5. 구금장소 담당의사

o 안기부에는 각 분야 전문의로 구성된 의료진이 상주하고 있어 조사착수 이전에 일차 검진함을 비롯하여 건강에 대한 이상발견시 즉시 검진할 수 있는 조치를 강구하고 있을 뿐 아니라 구속기간중 건강상태를 수시 체크하고 검진기록은 그대로 존안하는 등 인권옹호에 만전을 기하고 있음

0142

o 경찰서의 경우는 "경찰서 촉탁의 위촉규정"에 의해 경찰서마다 공의가 지정되어 있고, 구금된 피의자가 발병시에는 경찰서에서 왕진을 요청하여 진료케 하며 수진사항은 유치장 관리규정에 의해 수진부에 기록 유지하고 있음

o 그리고 구치소(구치지소), 교도소의 경우는 의사를 공무원으로 채용하여 피의자들의 진찰 및 치료를 담당하고 있으며, 검진 및 동 기록을 보관하는 규칙으로 행형법(법률 제3289) 및 동 시행령(대통령령 제10313호) 교도관 집무규칙(법무부령 제132호) 및 재소자 건강진단규칙(법무부훈령 제174호) 이 있음

6. 구금피의자의 복지.보호 담당기관

o 미결수용자를 구금하는 구치소, 기결수를 수용하는 교도소는 수사기관과 완전분리 운용

o 경찰서의 경우, 피의자에 대한 급식과 구금시설관리는 경무과에서 담당하고, 피의자 신문은 수사과나 대공과에서 담당하고 있음

0143

- 안기부에는 피의자에 대한 신문담당기관과 복지.보호담당기관이 별도로 분리되어 있지는 아니하나, 의료진 배치, 직원과 동일한 식사 및 필요시 건강체크 등 피의자의 복지를 위해 갖가지 방안이 마련되어 있으며, 구금은 자체시설이 아닌 경찰서의 구금시설을 이용하고 있음

7. 구속.구금.수사담당 공무원에 대한 인권교육

- 안기부는 신입직원의 교육과정 및 직원 보수교육 과정을 통해 피의자에 대한 조사절차 및 방법등 각종 법률규정과 함께 인권보호를 위한 교육과 이를 위반하였을 시 처벌법규에 대한 교육을 아울러 실시하는 한편 소속부서에서 정기적인 직무교육 및 수사착수시 이에 대한 간단없는 반복교육을 실시하고 있음

- 경찰의 경우 피의자 신문, 구속업무를 담당하는 경찰관에 대해서는 경찰관 임용시 기본교육 과정을 통해서 소정의 인권교육을 시키고 있고, 임용후에도 직무교육 과정을 통해서 재교육시키고 평소 근무관서에서 상급자들에 의해 수시 교육을 시키고 있음

0144

ㅇ 또한 검사가 매월 1회이상 구속장소 감찰시 교육을 실시하고, 연 2회 전체교육을 실시하고 있음

8. 구금피의자 본인의 불법구속.고문.부당대우관련 탄원절차

ㅇ 구금된 사람들은 본인 또는 가족이나 변호인을 통해 구속의 적부심사나 보석을 청구하여, 판사에게 석방사유를 주장할 수 있음

ㅇ 구금 피의자는 부당대우와 관련, 청원서를 작성, 직접 봉함하여 구금장소 관할기관장 (교도소장.구치소장.경찰서장)을 경유 법무부장관에게 제출하는 등 탄원가능 (행형법 제6조,제62조,제68조, 동 시행령 4조 이하)

ㅇ 구속장소를 감찰하는 검사, 구치소.교도소를 순열하는 순열관에게 구두로 청원.탄원할 수도 있음

ㅇ 수사관을 상대로 불법체포.감금(형법 124조) 또는 독직폭행, 가혹행위 (형법 제125조)를 들어 고소 또는 고발을 할 수 있고 (형사소송법 제223조,제234조 제1항), 이러한 고소.고발에 대하여 검사로부터

0145

공소제기를 하지 아니한다는 통지를 받은 때에는 그 검사 소속의 고등검찰청에 대응하는 고등법원에 그 당부에 관한 재정을 신청할 수도 있음 (형사소송법 제260조)

9. 구금피의자 등의 탄원 기타 주장이 있으면 먼저 사실여부를 엄정 조사하고 그러한 사실이 밝혀질 경우, 형법상 독직폭행(제125조)으로 처벌하며, 국가공무원법에 의하여 징계위원회에 회부되어 파면, 해임, 정직, 감봉, 견책 등의 징계를 받게 됨 (동법 제78조).

0146

* 북한근로자 및
북한학생 2명 면담.

10.25. 10:00-12:00

* Metro
Savoy Hotel or
외무부 회의실.

F	번호	101605 호
A	접수처	유엔과
X	발신처	법무부
	10/16	10:58

법 무 부 인 권 과

1990. 10. 16.

아래 문건을 수신자에게 전달하여 주시기 바랍니다.

제 목 : AI 대표단 방한 관련 조치사항 통보

수 신 : 국제연합과 송영완 서기관님

(수신처 FAX NO: 720 2686)

발 신 : 법무부 인권과

표지포함 총 5 매

※ 안기부 273-7155
권승하 (북한근로자·귀순자 사건) 이재(?) (Miss.)

- 전철우 (23세) 89.11.15 (망명)
- 박철진 (26세) 90.4.2 (소련)

0147

ＡＩ代表團 訪韓 관련 措置事項

1. 訪韓前 政府公式立場 전달

ㅇ ９．２８ 駐英大使가 ＡＩ측에 객관적이고 공정한 調査를 위하여 각계각층의 人士를 균형있게 面談할 것을 요청

ㅇ ＡＩ도 공정한 시각에서 調査活動을 하겠다는 반응 표시

2. 代表團의 向後日程 파악

ㅇ 外務部 關係官의 "반데일"要員과의 面談

– ９０．１０．１２(金) １５：００－１６：１５ 外務部 國際聯合課에서 이규형 課長과 向後日程등 논의

3. ＡＩ측의 面談人士 및 資料要請에 대한 조치

ㅇ 人權團體 關係者 面談要請

– 法務部에서 國際人權擁護韓國聯盟 임원과의 面談 주선,

– １０．８ 法務室長 주재하에 國際人權擁護韓國聯盟 任員陣과 간담회 개최, 關係資料 위 聯盟에 교부 政府立場 說明

1

0148

o 安保威脅이 표현의 자유 및 北韓人과의 私的접촉에 영향을 미치는 측면 등을 說明해 줄 수 있는 軍 또는 관계 政府人士 面談要請

- 法務部 關係者 면담시 說明키로 함

o 北韓關係專門家 面談 要請

- 安企部와 협조, 對象者 선정

o 최근 北韓刑法책자 증정 가능여부 및 北韓刑法專門家 面談 要請

- 北韓刑法의 實狀, 北韓法研究(VII)-新刑法-(法務資料集) 교부

 * 北韓刑法 영문판은 公報處에서 제작되는대로 AI측에 송부

- 法務室長 面談과는 별도로 法務部 檢察局에서 적절한 專門家 선정 면담

o 法院에서 人權問題를 다루는 判事 또는 關聯人士 面談要請

- 外務部에서 法院行政處의 의사 타진

0149

2

o 최근 東歐圈 國家를 경유 越南한 北韓學生 2名 面談要請

- 安企部와 협조, 對象者 선정, 面談日時. 場所. 節次 결정

o 法務室長과의 面談 및 午餐

- 法務室長 面談 : 10.26.10:00-12:00

  法務室長 午餐 : 10.26.12:00-13:00豫定

o 人權에 관심있는 國會 또는 政黨人士 面談要請

- 國家保安法 改正문제에 관한 政府. 與黨의 입장에 관해 討議하기를 희망하므로 오유방 議員이 面談하기로 협의 필

- 外務部에서 吳議員과 협의, 23.4일경 面談豫定

*22 M.A.
*23.M.
*25.M.
*27.MA 28M.
*24. 11-2:30
4:30-

o 文化分野關係 官吏 면담

- 표현의 자유와 國家保安法과의 관계의 討議를 원하므로 法務部 關係者 면담시 説明키로 협의 필

o 被拘禁者의 구체적 個別事案에 대한 情報蒐集 희망

- 對象 : 강용주, 양동화 등 14건의 國家保安法 違反 事件의 在監人

- 法務部에서 資料 준비하여 法務部 關係者 면담시 설명

3

0150

4. 面談資料 준비

○ A I 의 討議 희망사항, 政府立場에서 強調할 사항등 자료 작성중

○ 面談資料 번역후 A I 代表團에 교부 검토

— 협조 : 外務部, 公報處

0151

4

대 법 원

기획 제1553호 755-6234 1990. 10. 22.

수신 외무부장관

참조 국제기구조약국

제목 국제사면위 대표단 법원방문 협조요청에 대한 회보

1. 귀부 국연 2031-50964호('90.10.16) 와 관련입니다.

2. 당처에서는 국제사면위 대표단과 법원 관계자와의 면담을 주선할 계획이 없음을 알려 드립니다. 끝.

법 원 행 정 처

1990.10.25

29862

발송

0152

A.I. 대표단 면담요록

90. 10. 22.
국제연합과

1. 면담일시 및 장소 : 90.10.22(월) 17:00-17:30, 국제연합과

2. 면 담 자

ㅇ 외 무 부 : 이규형 국제연합과장
송영완 국제연합과 사무관

ㅇ A.I. 대표단 : Mr. Hoffman 남가주지역 이사
Ms. Vandale A.I. 본부 한국담당관

3. 내 용

ㅇ 이 : Hoffman 씨의 방한을 환영함. 현재까지 주선된 면담 일정을 설명드리겠음. (송사무관, A.I.측 면담일정 설명)

ㅇ Hoffman : 협조에 감사드림.

ㅇ 이 : Ms. Vandale의 각단체등 면담이 잘 진행되고 있는지 궁금하며 추가 협조 요망사항이나 관심사항이 있는지?

ㅇ Vandale : 지금까지 일정이 순조로이 진행중임.
지난주에 많은사람들을 만나보았는 바, 금주에도 일정이 꽤 분주함.

ㅇ Hoffman : 추가 관심사항에 대해서 말씀했는데 국제협약 가입 관련사항을 알고 싶음. 예를들어 고문방지협약 가입에 대한 한국정부의 입장은 어떠한지?

앙 90년 고 10월 재 24일	담 당	과 장	국 장
	송영완	(서명)	(서명)

0153

o 이 : 고문방지 협약 가입문제는 외무부와 법무부가 긴밀히 협조하에 현재 실무급에서 가입에 필요한 제반검토를 진행중인 것으로 알고 있음.

o Hoffman : 한국은 금년 인권규약에 가입하였는 바, 가입에 따른 보고서 제출일정, 동 규약 이행을 위한 법집행부서, 변호사, 대민 홍보등이 어떻게 이루어 지고 있는지도 궁금함.

o 송 : 제6공화국 출범이후 인권에 대한 관심이 정부를 비롯, 범국민적으로 확산되고 있으며, 특히 금년에 인권규약 가입후 법무부에서 인권홍보책자들이 출판된 바 있음. 상세사항은 법무부에서 설명하겠으나 법집행부서에서의 정기적 교육등도 행하여 지고 있음.

o Hoffman : 법무부 법무실장 면담시 질문할 것들이 매우 많으며 기대됨. 또한 보안법에 관한 한국정부의 설명도 듣고 싶으며 국회측 오의원 면담시에도 상세히 문의할 예정임.

o 이 : 방한기간중 추가 희망사항이 있으시면 연락바람.

o 송 : 숙소는 어디신지?

o Hoffman : Savoy 호텔에 투숙중임. 끝.

0154

북한 귀순유학생이 증언하는 북한 인권실상

장　소 : 명동 메트로호텔 9층 회의실

시　간 : 90.10.25(목) 10:00-14:25

참석자 : 박철진(소련유학생, 90.4.귀순, 65년생)

전철우(동독유학생, 89.11.귀순, 67년생)

국제사면위원회(A.I) 관계자 2명

안기부요원 2명

외무부 직원 2명(국제연합과 송영완, 정보2과 정재남)

통역요원 1명

Q : 북한에 정치적 이유로 투옥된 양심수들이 있는가?

A : 북한전역에 정치범등을 감금하는 「독재(통제)구역」이 많음

(평남 개천군, 아오지 탄광등)

친구등 독재구역 근무자들에게 들은 바에 의하면 그곳은 국가보위부 관할인 바, 철조망이 쳐져있고 깊은산에 위치함. 접근이 금지되며 총소리가 많이 들림.

대개 정치범(김일성.김정일 비방, 북한체제 비판자등)이 투옥되는 바, 예를들어 반체제 내용의 삐라등을 살포하면 하루 밤사이에 온가족이 함께 사라짐.

촌수를 따져 먼친척등은 독재구역보다 한단계 통제가 낮은 「추방구역」 으로 쫓겨감. 이들 모두 공민증을 회수당해 인간취급 못받음. 이들에겐 재판절차가 없음.

북한에 있을때 살던 마을(남포시 강서구역 세길동 28반)에서도 1980년 조선인민군 소장이 숨겼던 출신성분(일제시대 경찰경력)이 발각되어 모든 가족이 독재구역에 끌려간 사례를 알고 있음. 그뒤 그집엔 국가보위부 요원이 살았음.

Q : 직접 끌려간 것을 목격하였나?

A : 새벽에 비밀리에 끌려가는 장면을 마을사람들이 목격하였음.

1985-6년중 독일(베를린) 유학생중 한명이 북한체제를 비판한 사례가 있었는 바, 당사자는 국가보위부 요원들에게 압송 당하였고 유학생들이 후에 그 사람 집을 방문해보니 가족 모두가 행방불명임.

Q : 그 사람은 어떻게 되었겠는가?

A : 지하감방에 투옥되던지 탄광에서 통제하에 일하거나 총살당했을 것임.

동독에 일하러 온 북한노동자가 사귀던 동독여성이 서독탈출뒤 그 노동자에게 편지보낸 사실이 알려져 당사자를 본국 송환당한 사실이 있었음. 동료들의 안부편지에 대하여 본국가족들로 부터 답신이 없었음. 아마 어디론가 끌려갔을 것임.

다음은 평양시민이 모두 알고 있는 사례임.

1988년 김일성 종합대 5명 학생이 체제비난 투서를 중앙당 신서과를 통해 김정일에게 발송하였는 바, 학생중 1명은 총살당하고 4명은 독재구역으로 끌려감.

경공업대학의 한 교수는 전단(삐라)를 살포하다가 체포되었는데 당사자와 가족들이 독재구역으로 끌려감. (전단내용은 "평양축전 준비때문에 주민에게 절약을 강요하는데 주민이 겪는 궁핍이 지나치므로 평축은 의미없다"는 내용임)

북한에서는 인민반(주거지역 주민통제조직, 20세대 정도)을 구성해 그 가운데 스파이 1명씩을 심어 주민의 언동에 심리적 압박을 가함.

북한에선 형법이 공개되어있지 않고 정치범에겐 재판도 없고 일반 잡범도 재판없이 공개 총살함. (평양 오봉산 : 공개처형장소, 총소리가 그치지 않음. 1985년 이후 공개처형이 줄어들었음)

1980년에 범죄특별대책기간이 선포되어 전국적으로 총살형이 많이 실시 되었음. 1980년에 단순절도범 1명의 공개총살 장면을 목격한 바 있음.

Q : 많은 사람들이 그러한 처형장면을 목격하였는가?

A : 목격한 바에 의하면 강간, 도둑 사범의 처형에 1,000명이상 참석하였는 바, 한마디 변명의 기회없이 자동소총으로 처형함.

그뒤 몇달뒤에 또 다른 처형공고가 붙었음(비정기적으로 공고됨) 지방(남포)에는 처형예정 공고가 자주 붙는 바, 많은 사람들이 참석함. (남포시 강서구역 세길동 소역산)

공개재판장소에는 판,검사,변호사등은 참석하지 않고 안전원(경찰관)이 판결을 하고 형집행을 함. 변호사가 참가하여도 피고인을 변호하기 보다는 오히려 비난을 함. 이는 직접목격하기도 하였으며 북한 주민들은 모두 알고 있는 사실임.

Q : 처형예정 공고는 대체로 얼마정도 주기로 붙는가?

A : 남포의 경우, 1년에 3-4번 정도임.

범죄 집중단속기간에는 더욱 심함.

Q : 평양에도 처형예정 공고가 붙는가?

A : 공고는 안붙지만 (외국인 때문인듯) 처형예정 사실이 공지되어 많이 사람이 참석함.

Q : 주민들은 공개처형제도를 어떻게 생각하는가 ?

A : 주민들은 북한의 처형제도가 다른나라에 비해 가벼운 것으로 알고 있음.

Q : 당신들의 가족들은 어떻게 되었겠는가?

A : 가족들은 모두 처벌 받았을 것임.

Q : 처벌이유는?

A : 귀순때문임.

Q : 가족들에 가해졌을 상황에 대한 설명이 가능한가?

A : 정확히 알수는 없지만, 일반적인 경우에 입각해 보면 통제구역등에 끌려가 평생 노동생활을 함.

부모가 높은 지위에 있을 수록 처벌정도가 높음.

9촌까지 처벌당한 사례를 들었음.

작년 체코 귀순유학생의 부모는 가족 및 친척들에 대한 핍박이 두려워 자살하였음(부친은 인민무력부 정치국 소속이었음)

Q : 상기 사례들은 신문에 보도되었는가 ?

A : 북한신문은 긍정적인 내용만 게재하는 바, 주민들은 신문을 믿지 않고 소문을 90% 이상의 진실이라고 생각함.

몇년전 열차충돌이 있어 200여명 이상이 사망했어도 신문에는 기사화 되지 않았고 주민들은 소문을 통해 이 사실을 알게 되었음.

Q : 북한 해외유학생에 대한 북한 당국의 통제는?

A : 현지 대사관에서 유학생 3인을 1개조로하여 책임자 1명을 붙이고 단체로 행동하게 함. 그러나 이러한 통제에도 불구하고 해외유학생들은 남한 체제의 우월성을 알고 있으며 100% 남한귀순을 원하고 있으나 가족들이 겪을 고생을 우려해 실행을 주저함.

북한내에서도 1989년초에 김책대학 자동화공학부 학생1명이 중공경유 남한귀순을 시도하다가 국경선에서 잡힌 사례도 있었음.

또한 김일성 종합대학생 1명(휴전선 근무 제대병출신)은 남한으로의 귀순목적차 휴전선 통과를 시도중 전기감전사한 사례도 들었음. 끝.

AI측의 토의희망사항

0160

목 차

0161

0162

AI서한에서 토의 희망한 9개항 질문(치안본부, 안기부 관련)

1. 대한민국 정부는 수차에 걸쳐 고문을 방치하지 않겠다고 밝힌 바 있음. 이와 같은 방침은 경찰 및 안기부 요원에게 어떻게 전달되고 있는가?

   o 수사상 적법절차의 준수는 제6공화국 정부의 기본방침임

   o 이러한 방침은 내무부장관과 안기부장을 통한 지휘통솔 및 내부 감독의 강화로 강력하게 전달되고 있음

   o 또한 수사지휘권이 있는 검사에 의한 교육 및 구속장소 감찰을 통하여 구체적으로 감시감독이 이루어지고 있음

   o 그리고 안기부에서는 인권보호에 관한 헌법의 정신 및 정부의 기본방침에 따라 수사지도실을 설치, 전 수사요원을 대상으로 피의자 인권옹호에 대해 정기적으로 교육을 실시하고 특히 수사착수전에는 반드시 피의자에 대하여 부당한 처우를 하지 않도록 충분히 교육을 실시하는 한편, 수사과정에서 그 내용이 충분히 준수되도록 독려하고 있음

2. 대한민국 헌법 및 형사소송법은 피의자에게 친족 및 자신이 선택한 변호인을 면담할 수 있는 권리를 보장하고 있음. 경찰 및 안기부에 의해 여하히 동 권리를 보장하기 위한 조치를 취하고 있는가?

o 과거부터 체포. 구금시 변호인 선임권을 고지하고, 구속시 그 가족에게 구속 통지하면서 그 취지를 함께 고지하여 왔음

o 피의자 혹은 변호인이 면담, 접견을 요청하면 수사진행상황을 고려하여 최대한 보장하고 있으며, 우리 법원은 변호인 접견이 차단된 상태에서 작성된 증거에 대해 증거능력을 부인함으로써 (예: 홍성담사건) 수사기관으로 하여금 접견을 보장하도록 하고 있음

3. 경찰 및 안기부가 피의자를 구금 및 신문하는 모든 장소가 일반에게 알려져 있는 구치소인가 또는 구속자들이 효율적으로 유치될 수 있는 비밀장소가 있는가? 피의자가 유치되어 있는 모든 장소에 정기적 면회가 보장되어 있는가?

o 경찰 및 안기부 모두 항상 일반인에게 알려져 있는 경찰서 유치장에 구금하며 비밀장소는 있을 수 없음

ㅇ 구속통지서에 구금장소를 알려 주어 가족 등이 면회를 할 수 있도록 보장하고 있으며 야간이나 공휴일을 제외하고는 면회를 허용하고 있음

4. 신문절차와 관련, 어떠한 규칙과 절차가 존재하는가?
동 절차 규칙은 경찰과 안기부 모두 동일하게 적용되는가?

ㅇ 형사소송법, 형사소송규칙, 사법경찰관리 직무규칙 (법무부령) 등의 규정이 있고, 모두에게 적용됨

4-1 모든 피의자에게 변호인 접견권, 가족면회권, 묵비권 등 법률적 권리 등이 통보되도록 하는 절차가 도입되어 있는가?

ㅇ 헌법 및 형사소송법은 구속이나 조사시에 변호인 접견권, 가족면회권, 묵비권 등을 보장하도록 되어 있고, 변호인 선임권과 묵비권은 이를 고지하도록 되어 있음.
변호인 선임권의 경우, 피의자를 구속한 때 피의자의 법정 대리인이나 배우자, 직계 친족 등에게 구속일시. 장소, 구속이유, 변호인을 선임할 수 있는 취지를 3일 이내에 서면으로 통지하도록 되어 있고, 묵비권의 경우, 신문전

미리 고지하도록 되어 있음. (헌법 제12조, 형사소송법 제200조 제2항, 제209조, 제88조, 제89조, 형사소송규칙 제51조)

4-2 신문기간, 장소, 신문시기 등을 규정하는 규칙은 무엇인가? 동 규칙의 법적 위치는 어떠한가?

- 이와 관련한 특별한 규정은 없으나 형사소송법 제309조에 의하여 강제 등 자백의 증거능력이 제한되고 있어 간접적으로 규제하고 있음

4-3 피의자 신문에 있어 1회당 신문에 참여할 수 있는 신문인 수를 제한하는 규칙이 있는가? 그러한 경우 동 규칙의 규정내용은?

- 직접적으로 신문인 수를 제한하는 규정은 없음
- 형사소송법상 검사는 참여주사를, 사법경찰관은 사법경찰관리를 참여시켜 조사토록 하고, 조서작성후 서명날인해야 하므로 조서 1건당 신문인 수는 2인 이상임
- 현행법상 변호인의 신문참여가 필요적이라는 규정은 없음

4

0166

4-4 신문담당관의 감독에 관한 규칙은?

ㅇ 신문담당관의 상급자는 직무상 감독권이 있고, 일반적으로 검사가 구속장소 감찰시에도 가혹행위 여부 등을 감독하고 있으며, 형법 (예를들면 제125조의 인신구속관련 직무 행위자의 가혹행위 등 처벌규정) 등에 의해 규율되고 있음

4-5 개인의 구금 및 신문에 관하여 어떠한 기록이 보존되고 있으며 동 기록은 어떠한 사람들에게 제공되고 있는가?

ㅇ 구금관련 기록으로는 구속영장, 구속영장신청부, 구속인명부 등이 작성 보존되며, 일반인의 열람은 불가능함

ㅇ 신문관련 기록으로는 피의자 신문조서를 작성하여 본인열람 및 증감변경후 서명날(무)인하고 신문자, 참여자 서명하여 기록보존하며, 기소후 변호인은 열람. 등사 가능함

4-6 동 기록은 피구금자 및 그들의 변호사에게 제공될 수 있는가?

ㅇ 구금관련 기록으로 구속영장을 피의자 본인에게 제시하고 집행하며, 구금시 가족에게 구속 통지하는 외에 관련부책은 피의자 본인, 변호인에게 제공 불가

o 신문관련 기록은 피의자 신문조서로서 피의자 본인 조사후 반드시 열람시킴. 변호인은 기소후 열람. 등사 가능함

4-7 상기 규칙들은 한국변협이나 타 민간 인권기관이 언급해 왔거나 또는 언급할 수 있는 공문서인가?

o 형사소송법 및 사법경찰관리 집무규칙 등은 한국법전에 수록되어 있으며, 변협 등 민간단체들도 숙지하고 있는 규정임

5. 모든 구금장소에 상주 또는 동 구금장소를 담당하는 의사가 있는가? 동 의사들이 피의자를 검진하고 동 검진기록을 보관하는 규칙은 무엇인가?

o 경찰서의 경우는 "경찰서 촉탁의 위촉규정"에 의해 경찰서마다 공의가 지정되어 있고, 구금된 피의자가 발병시에는 경찰서에서

6

0168

왕진을 요청하여 진료케 하며 수진사항은 유치장 관리규정에 의해 수진부에 기록 유지하고 있음

- ㅇ 그리고 구치소(구치지소), 교도소의 경우는 의사를 공무원으로 채용하여 피의자들의 진찰 및 치료를 담당하고 있으며, 검진 및 동 기록을 보관하는 규칙으로 행형법 (법률 제3289) 및 동 시행령 (대통령령 제10313호), 교도관 집무규칙 (법무부령 제132호) 및 재소자 건강진단규칙 (법무부훈령 제174호) 이 있음

6. 구금된 피의자의 복지 및 보호를 담당하는 기관과 피의자의 신문을 담당하는 기관간에 공식적 분리가 되어 있는가?

- ㅇ 미결수용자를 구금하는 구치소, 기결수를 수용하는 교도소는 수사기관과 완전 분리 운용

- ㅇ 경찰서의 경우, 피의자에 대한 급식과 구금시설관리는 경무과에서 담당하고, 피의자 신문은 수사과나 대공과에서 담당하고 있음

7. 피의자의 구속 · 구금 · 신문을 담당하는 기관원에 대한 인권교육은 여하히 실시되고 있는가?

o 안기부는 신입직원의 교육과정 및 직원 보수교육과정을 통해 피의자에 대한 조사절차 및 방법 등 각종 법률규정과 함께 인권보호를 위한 교육과 이를 위반하였을시 처벌법규에 대한 교육을 아울러 실시하는 한편 소속부서에서 정기적인 직무교육 및 수사착수시 이에 대한 간단없는 반복교육을 실시하고 있음

o 경찰의 경우 피의자 신문, 구속업무를 담당하는 경찰관에 대하여는 경찰관 임용시 기본교육과정을 통해서 소정의 인권 교육을 시키고 있고, 임용후에도 직무교육과정을 통해서 재교육 시키고 평소 근무관서에서 상급자들에 의해 수시 교육을 시키고 있음

o 또한 검사가 매월 1회이상 구속장소 감찰시 교육을 실시하고, 연 2회 전체교육을 실시하고 있음

8

0170

8. 경찰이나 안기부에 의해 구금된 사람들이 그들의 불법구속. 고문 또는 부당한 대우에 관하여 탄원을 제기하고자 할 경우 어떠한 탄원제출 절차가 보장되고 있는가?

- 구금된 사람들은 본인 또는 가족에게 변호인을 통해 구속의 적부심사나 보석을 청구하여 판사에게 석방사유를 주장할 수 있음

- 구금 피의자는 부당대우와 관련, 청원서를 작성, 직접 봉함하여 구금장소 관할기관장 (교도소장. 구치소장. 경찰서장)을 경유 법무부장관에게 제출하는 등 탄원가능 (행형법 제6조, 제62조, 제68조, 동 시행령 4조 이하)

- 구속장소를 감찰하는 검사, 구치소. 교도소를 순열하는 순열관에게 구두로 청원. 탄원할 수도 있음

- 수사관을 상대로 불법체포. 감금 (형법 제124조) 또는 독직폭행, 가혹행위 (형법 제125조)를 들어 고소 또는 고발을 할 수 있고 (형사소송법 제223조, 제234조 제1항), 이러한 고소.고발에 대하여 검사로부터 공소제기를 하지 아니한다는 통지를 받은 때에는 그 검사 소속의 고등검찰청에 대응하는 고등법원에 그 당부에 관한 재정을 신청할 수도 있음 (형사소송법 제260조)

9. 법집행관이 피구금자를 고문 또는 부당하게 대우했다고 항의받을 경우 동 법집행관에게 어떠한 징계절차가 취해지는가?

- 구금 피의자 등의 탄원 기타 주장이 있으면 먼저 사실여부를 엄정 조사하고 그러한 사실이 밝혀질 경우, 헌법상 독직폭행 (제125조)으로 처벌하며, 국가공무원법에 의하여 징계위원회에 회부되어 파면, 해임, 정직, 감봉, 견책 등의 징계를 받게 됨 (동법 제78조).

공 란

공 란

공 란

공 란

안보상황과 표현의 자유

1. 북한으로부터의 안보위협의 양상

ㅇ 1945년 일제식민통치에서 해방되면서 대한민국은 미국과 소련이 남북에 각각 진주함으로써 분열되었고 이제까지 40여년간 동서 이데올로기의 대립과 갈등이라는 냉전구조속에서 남북간의 첨예한 이념적, 군사적, 정치적 대결상태를 유지하여 왔음

ㅇ 북한은 헌법보다도 상위규범으로 하고 있는 노동당규약에서 '조선노동당의 당면목적은 공화국 북반부에서 사회주의의 완전한 승리를 이룩하고 전국적 범위에서 민족해방인민민주주의혁명의 과업을 수행하는 데 있으며, 최종 목적은 온 사회를 주체사상화 하여 공산주의사회를 건설하는 데 있다'고 규정하고 있으며 여기에 잘 나타난 바와 같이 북한의 제일 목표는 한반도 전역을 공산화하는데 있고, 이 규약은 아직도 변함이 없음

o 그리고, 그 의도는 1950년 6.25전쟁, 미국 푸에블로호 납치사건, 무장공비의 청와대습격사건, 판문점도끼만행사건, 미얀마 아웅산폭파사건, 칼 858기폭파사건, 휴전선 각 지역에서의 남침용 땅굴발견사건, 각종 무장간첩사건 등에서 보는 바와 같이 의심의 여지가 없음

o 북한은 이와 같은 직접적인 도발외에, 한편으로는 우리사회의 불만세력과 좌익세력을 이용하여 내부혼란을 조성하기 위해 대남방송등의 선전매체를 이용한 선동선전전술(간접침략전술)을 계속 자행하여 왔음

- 즉 북한은 남한이 일본의 식민지에서 벗어나면서 미군의 강점으로 미국의 식민지로 재편되었고, 미제는 군사파쇼정권을 내세워 남한의 급속한 자본주의화를 추진했으며 이 과정에서 노동자,농민의 생활조건과 처지는 너무 비참해지고 부익부, 빈익빈 현상이 심화되었으며, 미.일 외세와 이에 의존하고 있는 군사독재와 독점재벌은 분단을 통해 막대한 이익을 얻고 있기에 분단의 고착화를 바라고 있다고 선전하고,

- 이러한 모순을 해결하기 위해서는 친미세력, 매판자본가, 소수 정치군인을 배제한 노동자, 농민, 학생등 모든 민주세력이 일치 단결하여 미.일 외세와 군부독재를 타도 (반미자주, 반파쇼민주) 하고 민족자주국가를 수립해야 한다고 선동하여 왔음

- 위와 같은 선동내용의 촛점은 반미와 반파쇼인 바, 북한이 이를 촛점으로 삼는 이유는 반미에 의한 미군철수와 반파쇼에 의한 국민과 정부간의 대립(사회혼란)이 적화통일의 가장 중요한 조건이라고 판단하고 있기 때문임

2. 안보위협과 표현 및 결사의 자유

o 표현의 자유, 집회및 결사의 자유는 우리 헌법이 보장하는 바이며 정부도 이러한 국민의 기본권이 보장되도록 최대한의 노력을 하고 있음

o 그러나 개인의 자유는 무한한 것이 아니며, 그에 대한 합리적인 제한은 현대의 민주적인 헌법국가에서 헌법의 전체적 가치질서의 실현을 위해 불가피한 것으로 받아들여지고 있음.

0179

o 따라서현대의 대다수 헌법국가는 공공의 이익을 위해서 필요불가피한 경우에 한해서 기본권을 제한할 수 있도록 기본권제한의 기준과 방법 및 한계를 헌법에 명문화함으로써 기본권이 국가권력에 의해서 함부로 침해되는 일이 없도록 예방조치를 마련해 놓고 있음

o 우리나라에서도 다른 나라와 마찬가지로 헌법 제21조에서 언론출판 집회.결사의 자유를 보장하면서, 한편 헌법 제37조 제2항에서는 국민의 모든 자유와 권리는 국가안전보장, 질서유지 또는 공공복리를 위하여 필요한 경우에 한하여 법률로서 제한할 수 있으며, 제한하는 경우에도 자유와 권리의 본질적인 내용을 침해할 수 없다고 규정하고 있음.

o 위와 같은 헌법규정에 따라 국가안전보장을 위해서 제정된 법률이 국가보안법이며, 국가보안법에서는 북한의 대남적화통일전략과 이를 위한 각종 선전.선동활동에 종사하거나 가담하는 행위를 처벌하고 있음

0180

o 국가보안법과 같은 법률이 우리나라에 고유한 것이 아니며, 미국의 전복활동통제법 (Act of Control of Subversive Activities) 공산주의자통제법 (Communist Control Act), 반역.내란 기타 국가 전복활동에 대한 일반조항들 (Usc Title 18 Crime and Criminal Procedure 2381이하), 일본의 파괴활동방지법, 서독의 형법 (84조 이하)등도 같은 취지의 규정들을 가지고 있음

o 즉, 미국이나 일본, 서독등도 자신들의 자유민주주의 체제를 전복하려는 파괴, 폭력행위, 그리고 이를 옹호, 선동하는 유인물이나 출판물의 제작, 반포, 적시행위, 이와 관련한 결사나 단체의 구성, 가입행위등에 대해서는 처벌법규를 가지고 있으며, 이는 자유민주주의체제를 방어하기 위해 당연하다 할 것임

o 단지 이들 국가와 우리나라의 차이는, 이들 국가의 경우 이미 1950년대 부터 1970년대까지 사이에 공산주의자나 좌익폭력혁명론자들의 전복, 파괴활동을 겪었으며 현재는 이러한 활동이 문제되고 있지 않는 반면,

0181

우리나라의 경우는 아직도 이러한 활동이 계속되고 있으며, 북한이 이를 의도하고 있다는 점임

o 이러한 이유로 최근 우리 헌법재판소에서는 국가보안법이 헌법에 위배되지 않는다고 판단하였음 (헌법에 위배된다는 소수의견이 있었음)

o 국가보안법위반자들은 자신들이 단지 정부를 비판하거나 반미, 통일을 주장했다는 이유로 구속되었다고 주장하는 경우가 많으나, 이는 그들의 범법사실을 호도하고 있는 것에 불과함. 만약 단순히 그와 같은 이유로 구속을 한다면 정부를 비판하는 기사가 매일같이 게재되는 신문이나 통일을 주장하는 많은 사람들의 존재를 설명할 수 없을 것임. 분명히 강조하고 싶은 것은 대한민국에서는 정부를 비판하는 주장과 정부를 타도하려는 주장이 명백히 구별되고 있다는 점임.

3. 안보위협과 북한인들과의 사적 접촉

o 대한민국은 북한의 6.25 남침으로 수많은 인적,물적 피해를 입었으며, 북한은 이에 그치지 않고 최근의 칼858기 폭파사건에 이르기까지 40여년동안 우리를 분노케하였고, 사실상 적국에 다름이 아니었음

o 일반적으로 교전중이거나 분쟁중에 있는 적국과의 교섭이나 접촉은 매우 복잡하고 미묘할 뿐 아니라 국가의 운명과 직결되는 것이므로 대표권을 가진 정부가 처리하는 것이 당연한 것임

o 참고로 미국의 경우에도 로간 법 (The Logan Act) 에서 전쟁중에 있는 적국이나 분쟁중에 있는 외국에 대하여 정부의 허가없이 교섭하거나 접촉하는 행위에 대해 처벌 규정을 갖고 있음

국가보안법 개정문제 등

국가보안법을 개정할 것인가, 그러면 개정하려는 이유는 무엇인가

o 국가보안법이 북한과 국내 좌익세력의 반국가활동을 저지하는데 중요한 역할을 해왔다고 생각함

o 그러나 국제정세와 남북관계의 진전에 새롭게 대처하고, 국민의 기본적 인권을 보다 광범위하게 보장하기 위해 개정이 논의되고 있으며 여당인 민주자유당에서는 이미 개정안을 국회에 제출해 놓고 있음

o 민자당의 개정이유는 한마디로 말씀드리기는 어렵지만 대체로 3개의 측면에서 설명할 수 있음.

- 정부의 대북정책과 통일정책에 일부 저촉되는 듯한 규정들을 전향적으로 개정

- 그동안 국민의 기본권을 침해하거나 수사기관의 자의적 법집행이 가능하다고 비난받아 온 요인들을 제거하거나 보완

- 우리 체제를 위협하지 않는 공산권 국가들과의 교류협력에 장애가 된다고 오해받을 수 있는 조항을 개정.

0184

22

/

국가보안법 개정안의 주요내용은 무엇인가

1. 남북교류.협력의 보장 - 교류관련 처벌조항 목적범화

o 현행 국가보안법상으로는 북한을 왕래하거나 북한주민과 접촉하는 행위, 북한주민과 금품을 수수하는 행위를 목적이나 동기불문하고 모두 처벌하도록 되어 있으나 개정안에는 국가안보에 위해한 반국가활동과 관련이 있는 행위만 처벌하도록 함

o 그런데 국가보안법의 개정이 정당간 이견이 있어 늦어지고 있기 때문에 지난번 국회에서는 남북간 교류협력에 관한 법률을 제정함으로써 국가보안법이 개정되지 않은 상태에서도 순수한 남북.교류행위에는 국가보안법이 적용되지 않도록 조치하였음. 이제 법적으로 남북교류. 협력에는 아무런 장애가 없음.

2. 표현의 자유 확대 - 찬양고무죄의 개정

o 종래 국가보안법의 찬양.고무죄의 적용범위가 광범위하여 표현의 자유를 위축시키고 있다는 비판이 있었던 것이 사실임

o 이에 개정안에서는 그 조항에서 "기타 방법으로 반국가단체를 이롭게 하는 경우"를 삭제하여 구성요건을 명확히 하고 있음

o 또 개정안은 찬양.고무,동조행위라도 국가의 존립.안전이나 자유민주적 기본질서에 위해한 경우가 아니면 처벌되지 않도록 처벌조항(구성요건)을 목적범으로 변경함으로써 남용소지를 제거하고 있음

3. 기밀의 종류에 따른 처벌

현행 국가보안법상으로는 간첩죄에서 기밀의 경중을 구분하지 않고 처벌하고 있으나, 개정안에는 중대한 기밀과 그렇지 아니한 기밀로 구분하여 법정형을 대폭 완화함 (독일,프랑스,오스트리아도 기밀의 종류에 따라 달리 규정)

4. 기본권보장규정 신설

해석, 적용에 있어 기본적 인권을 부당하게 제한하지 않도록 규정

5. 불고지죄의 대상범죄를 축소

국가보안법이 정부정책에 반대하는 인사들을 탄압하는데 악용되어 왔다는 비난이 있는데 이에 대한 견해는

o 국가보안법은 반국가활동을 규제하는 법이지 정부정책에 반대하는 행위를 규제하는 법이 아님

o 야당과 민간단체에서 정부정책에 반대하는 경우가 많은데 그와 같은 경우에 국가보안법을 적용한 적도 없고, 적용할 수도 없는 것임

o 예를 들면, 빈부격차의 문제점을 지적하고 합헌적이고 합법적인 방법으로 그 시정을 촉구하거나 시정방안을 제시하는 것과 빈부격차를 왜곡 선전하여 계급혁명을 선동하는 것과는 분명히 구별하고 있음.

미군철수주장은 표현의 자유로서 인정되어야 하는 것 아닌가,

반미를 주장하는 것이 곧바로 반국가사범이 될 수 있는가

---

o 미군철수주장이나 반미를 주장한다고 해서 바로 반국가사범이 되는 것이 아님

o 예를들면, 미군의 범법행위를 규탄하면서 미군철수를 주장하거나, 농산물 수입개방압력을 이유로 반미를 주장한다고 해서 우리 정부가 처벌한 사실은 없음

o 그러나 국내 좌익세력들의 반미주장을 자세히 보면

- 대한민국은 1945년 일제로부터 해방되면서 미군에게 점령당한 이래 미국의 신식민지로 되있고

- 현 정부는 친미매국세력, 반민주·반민중·반통일세력이며

26

0188

- 미국·일본등 외세와 군부독재정권, 독점재벌은 분단을 통해 오히려 이익을 얻고 있어 분단의 고착화를 바라고 있으므로

- 이러한 모순을 해결하기 위해 노동자, 농민, 학생등이 일치단결하여 미국과 군부독재를 타도해야 한다는 것에 근거하고 있음

o 이것은 결국 계급혁명, 폭력혁명을 통해 국가전복을 기도하는 것이기 때문에 국가안보를 지키기 위해 국가보안법이 적용되는 것이며, 단순히 반미라는 차원에서 국가보안법이 적용되는 것이 아님.

통일을 주장했다는 이유로 국가보안법을 적용, 구속한다는 비난이 있다.

이에 대한 견해는

- 통일을 주장한다는 이유로 처벌할 수 있는 조항은 국가보안법에 없음

- 그와 같은 단순화는 문제의 본질을 오인시키는 것이라고 생각함

- 북한의 대남적화통일전략에 동조하고 있는 국내 좌익세력들은

  - 1단계로 우리사회내부의 반정부.반체제 세력을 모두 규합하여 통일 전선을 구축하고

  - 2단계로 무장폭력혁명에 의하여 현 정부를 타도한 후 이른바 민중정권을 수립하며

  - 3단계로 잔존하는 자본주의 요소를 제거하여 사회주의혁명을 완수한다음 인공.연북통일을 달성한다는 통일전략을 갖고 있음

o 위와같은 공산주의, 사회주의화 통일을 선동한다면 이는 우리 헌법이 채택하고 있는 근본이념인 자유민주주의 체제를 전복하는 것이므로 헌법수호의 차원에서 국가보안법이 적용될 것임.

자유로운 남북교류를 주장하면서, 한편으로는 남북왕래를 처벌하는 국가보안법을 존치하고 있는 것은 모순아닌가

---

o 종래 국가보안법이 남북간 왕래행위를 처벌해 온 것은 사실임. 6.25전쟁을 겪은 대한민국이 국가안보를 위하여 전쟁을 도발한 북한지역과의 왕래를 규제해 온 것은 불가피한 것이었음

o 그러나 이제 대결상태를 화해와 협력의 관계로 바꾸어 나가기 위해 대한민국은 수년전부터 7.7 특별선언등을 통해 다각적으로 노력해 왔으며 지난 국회에서는 남북교류협력에관한법률을 제정함으로써 남북간의 대치 상태가 완전 해소되지 않은 상황에서라도 남북왕래와 교역을 할 수 있도록 법적 장치를 마련하였음

o 그러나 남북교류가 이루어진다고 하여 대한민국을 전복하기 위한 반국가 활동을 하는 사람들의 왕래까지 허용할 수는 없는 것임

30

0192

o 반국가활동과 관련되는 간첩이나 테러분자들의 왕래에 대해서는 여전히 국가보안법으로 처벌할 것이며, 반국가활동과 관련없는 이산가족의 재회, 관광, 경제, 문화, 학술등의 교류를 위한 왕래는 정부의 승인하에 자유화 하자는 것으로서 이는 모순이 아니라고 생각함.

정부의 승인이라는 제한없이 무조건적으로 방북이나 북한 주민과의 접촉을 허용해야 북한의 개방이나 통일에 도움이 된다고 보는데

---

0 북한과 교류함에 있어 정부의 승인이 있어야 한다는 절차 규정이 남북의 자유왕래나 전면개방정신에 반한다고 생각하지 않음

0 실제로 우리 정부가 승인하지 않기때문에 남북교류가 실현되지 않고 있는 것이 아님

0 우리정부는 지금까지 기백건의 방북.접촉 신청을 승인해 주고 있지만 북한은 이산가족의 재회나 경제.문화.학술교류를 위해 우리 정부의 승인을 받은 많은 방북신청자들의 방북을 전혀 허용하지 않고 있음

0 정부의 승인이라는 절차를 없엔다고 하여 북한이 이들의 방북을 허용할 것은 아니며, 지금까지 그렇게 해 왔던것처럼 정부당국은 배제하고 일부 반체제, 반정부 인사나 단체와 접촉하여 우리 사회의 혼란을 기도하는등 개방과 변화와는 거리가 먼 행동을 할 것임

6공화국 출범 이후에도 많은 수의 양심범들이 국가보안법 위반으로 구속되었다고 주장되고 있다. 이들을 석방할 용의는 없는가

---

0 양심범의 개념은 말하는 사람마다 다르지만, 국가보안법위반으로 구속된 사람들을 양심수라고 하는데는 동의할수 없음

0 왜냐하면 국가보안법은 어떤 사람의 사상이나 신념자체를 문제삼는 것은 아니며, 대한민국이나 대한민국의 체제를 전복하기 위한 활동을 문제삼는 것임

0 그리고 국가보안법위반자들의 경우, 합법적이고 평화적인 방법으로 정부를 교체하고, 빈부격차등 사회문제를 해결하자는 것이 아니며, 헌법과 법률을 비롯한 모든 정치.경제.사회체제가 매판독재세력의 장기집권과 민중에 대한 착취.탄압을 보장해주는 구조로 되어 있기 때문에 합법적이고 평화적인 방법으로는 변혁이 있을수 없고, 결국 민중의 연대에 의한 폭력혁명만이 변혁을 가능하게 한다고 주장하고 있음

0 따라서 이들이 폭력을 옹호하지 않았다거나 단순히 신념만으로 처벌받고 있다는 주장은 전혀 깊이 있는 이해에 입각한 주장이 아님

0 그러므로 이들 구속자들은 독립된 법원의 판결에 따라 처리되어야 하는 것이 민주사회의 원칙이라 할 것임

0196

공　　　란

공 란

공　　　란

공 란

공 란

공 란

공　　　란

공 란

공 란

공 란

공 란

공 란

공 란

공 란

공 란

공 란

공 란

공 란

공 란

공 란

공 란

공 란

공 란

공

인 권 규 약 가 입 문 제

o 우리 정부는 지난 4.10 국제인권규약 가입서를 UN사무총장에게 기탁함으로써 동 규약은 7.10부터 발효하였음

o 이로써 우리는 인권의 보편적 존중이라는 국제적 노력에 적극 호응하고 인권존중 국가로서의 대외적 이미지를 높이는 한편, 국내적으로도 인권 문제에 대한 인식을 한층 더 제고하는 계기를 마련하였음

o 특히 개인의 청원권을 인정하는 선택의정서에도 가입함으로써 인권 신장을 위한 우리 정부의 확고한 의지를 구현하는 것으로 생각함. 북한은 물론 일본도 이 선택의정서에는 가입하지 않고 있음

o 물론 인권규약 가입시 일체의 유보조항 없이 가입하는 방법도 있겠으나 최종적으로 확정된 4개 유보조항은 국내법과의 저촉이 명백하므로 유보가 불가피하다는 결론을 얻은 것임

o 선진국을 포함한 많은 국가가 자국 국내법과 저촉되는 조항의 적용을 유보하고 있으며, 명백히 국내법과 저촉되는 조항을 유보하지 않고 가입할 경우 법체계의 혼란을 초래할 가능성이 있음

61

0223

o 다만 정부는 민법의 배우자 평등관련 부분이 국회에서 개정됨에 따라 개정 민법 시행일자인 '91.1.1자로 B규약 제23조 4항에 대한 유보를 철회할 예정임

o 인권규약에의 가입은 그 규약내용의 성실한 이행을 전제로 하고 있는 만큼 우리나라도 앞으로 인권규약의 제규정을 충실히 이행하기 위하여 최대한의 노력을 기울일 것임

* 참고자료 : B 규약 유보대상조항

- 상소권 보장 (제14조 5항) : 비상계엄하 군사재판에서 단심제를 인정하는 헌법 제110조 4항과 저촉

- 일사부재리 또는 이중처벌금지 (제14조 7항) : 외국에서 받은 형의 집행을 형의 임의적 감면사유로 정한 형법 제7조와 저촉

- 결사의 자유 (제22조) : 공무원, 사립학교 교원의 집단행동을 금지한 국가공무원법 제66조, 사립학교법 제55조 등과 저촉

- 혼인중 및 혼인해소시의 배우자의 평등 (제23조 4항) : 민법 제777조, 제909조 1항 등이 서구적 남녀평등관에 의하면 위 조항에 위반될 여지 있음

62

0224

사 형 제 도

1. 사형제도 존치여부

ㅇ 사형은 그 위하력이 가장 강력하여 일반예방에 의한 범죄방지효과가 크므로 극악무도한 흉악범죄의 억지를 위하여는 사형제도를 허용하여야 한다는 형사정책상의 필요와 극악범죄를 범한 자는 사회로부터 영구히 제거되어야 한다고 믿는 국민의 법감정을 고려하여 우리의 형벌법규에서 사형을 형벌의 일종으로 규정하고 있음.

ㅇ 따라서 사형제도는 존치하여야 하고 폐지논의는 시기상조임.

2. 연도별 선고 및 집행현황

연 도	선고인원 (확정기준)	집행인원	비 고
1986	8	13	
1987	7	5	
1988	8		
1989	3	7	
1990	5	9	

3. 사형수 감형현황

감형일자	성　명	죄　명	감형내용	비　고
88. 2. 27.	최재만	강도살인등	무기징역	
"	김병주	국가보안법등	"	
88. 12. 21.	신광수	국가보안법	"	
"	양동화	"	"	
"	김성만	"	"	

64

0226

인권침해를 방지하기 위한 법집행기관의 감독절차

o 검찰은 수사의 주재자로서 소임을 다하기 위하여 검사의 부족과 격무 등에도 불구하고 꾸준히 사법경찰관리들에 대한 지휘감독에 철저를 기하려고 노력해 왔음

o 구체적으로는 월 1회 이상 관할경찰서 유치장을 감찰해 불법구금 등을 가려내는 한편 수시로 각 검찰청 단위별로 사법경찰관에 대한 지도교양을 통하여 수사과정에서의 적법절차를 철저히 준수하도록 독려하고 있음

o 현재 검찰에서 하고 있는 사법경찰관에 대한 지도교양방법은 구체적인 송치사건과 관련하여 교양책자를 발간하여 수사상의 과오를 지적 시정케 하고 있는 외에도 수시로 수사실무교육 등을 통해 지도하고 있으며, 특히 수사요원의 인권의식 함양에도 많은 노력을 기울이고 있음

o 또한 검찰공무원에 대하여도 지속적인 전문교육을 실시함으로써 수사과정에서 인권을 침해하는 일이 없도록 철저히 감독을 하고 있음

북한형법의 특징과 내용

1. 목적과 기능상의 특징

ㅇ 대부분의 나라가 자기나라의 체제수호를 위한 법률적 장치를 갖고 있지만 이는 외부의 침략세력으로부터 국가와 국민을 지키고자 하는 방어적 안보형사법인데 비하여, 북한형법은 한반도 전역의 공산혁명을 달성하는데 장애가 되는 모든 세력들을 적발 처단하기 위한 공격적인 형벌법임

ㅇ 그리고 자유민주주의국가의 형사법이 법제정서부터 법해석.적용, 법집행에 이르기까지 기본권보장을 최우선 과제로 하는데 비하여 북한형법은 오로지 계급투쟁과 프롤레타리아 독재의 위력한 무기이고 그들의 정치노선을 실현시키고 그들이 원하는 공산주의적 인간으로 개조시켜 이를 장악키 위한 가장 강력한 수단으로 구실함

ㅇ 북한형법은 이러한 목적과 기능을 수행하기 위하여 대부분 비민주적, 반인권적, 반통일적 조항으로 구성되어 있음

66

0228

2. 비민주성과 반인권성

o 우선, 어떤 범죄적 행위에 대한 해당규정이 없으면 그 행위와 가장 비슷한 죄에 관한 조항을 적용함으로써 유추해석을 정면으로 허용하고, 또한 민족반역행위에 대하여는 과거 일제시대의 행위까지 소급하여 처벌함으로써 형법의 기본원칙인 죄형법정주의를 완전히 무시하고 있음

o 그리고 소위 반혁명범죄와 살인죄에 대하여는 형사소추의 시효제도를 인정하지 않고 있으며 이는 소급 처벌규정과 함께 반혁명범죄자에 대하여 그가 살아있는 한 영원히 처벌을 면하지 못하도록 하고 있음

o 또한 반혁명범죄에 대하여는 형의 감경이나 집행유예를 할 수 없도록 할 뿐만 아니라 예외없이 불신고죄를 두고 있음

o 또한 특이한 것으로, 판사가 오판을 하거나 형량을 그릇되게 한 경우 담당판사를 부당재판죄로 처벌하고, 재판소는 자기사업에 대하여 주석과 당앞에 책임을 지도록 함으로써 사법권의 독립을 완전히 부정하고 있음

0229

67

o 그외 당과 국가정책을 비방하거나 반동적인 사상을 조작,전파하거나 반동적인 낙서나 투서를 한 자를 반동선전선동죄로 처벌하고, 사회주의. 공산주의운동, 노동운동을 반대하기만 하여도 사회주의국가 반대죄로 처벌하며, 또 북한은 노동자의 천국이라고 하면서도 태업행위를 금지함으로써 노동자의 기본권을 완전 박탈하고 있음

3. 반통일성

o 대한민국을 "원쑤" 또는 "적" 이라고 표현하면서 북한주민이 다른나라 또는 원쑤의 편으로 도주하면 조국반역죄로 처벌하고 외국대사관에 정치적 망명을 요구하는 행위도 이에 해당됨

o 또한 대한민국을 "미제국주의의 식민지" 라고 하면서 미제국주의의 식민통치를 도와주는 행위를 한 자는 민족반역죄로 처벌하는 바, 이는 그들에게 협조하지 않거나 적적 관계에 있는 자들을 숙청하거나 남한의 지도급인사들을 처단할 수 있는 근거조항으로 구실함

o 그리고 위의 조국반역죄나 민족반역죄, 반동선전선동죄, 사회주의국가반대죄 뿐만 아니라 모든 반혁명범죄자들은 교육이나 교양에 의한 개조가 불가능하기 때문에 대부분 사형에 처하고 전재산을 몰수함.

o 또 특이한 것은 부르죠아 문화를 반영한 문예작품, 물건들을 반입하거나

유포한 자들을 부르죠아문화 반입.유포죄로 처벌하고 있음

69 0231

A.I. 대표단 오유방 의원 면담

ㅇ 일　　시 : 1990. 10. 23. (화) 15:15-16:40

ㅇ 장　　소 : 국회 의원회관 오의원 사무실

ㅇ 배　　석 : 외무부 윤여철 사무관
법무부 한상태 검사

ㅇ 면담요지 :

Hoffman : 고문방지협약의 가입에 대한 검토가 이루어지고 있는지?

오 의 원 : 국회에서는 속히 가입해야한다는 여론으로 행정부측에서 조속 처리하여 넘겨주기를 기대하고있음. 현재 국내형법으로도 고문은 금지되어 있으며 강압에 의한 자백은 증거로서의 효력이 없음. 과거 수사관 자질부족으로 불행한 사태가 있었으나 6공이후 동 문제의 개선을 위한 노력이 있어 왔는 바, 내가 아는한 고문행위는 없었으며 고문을 당했다고 주장한 사례도 결국 사실무근이었음이 판명되었음.

Hoffman : 국회내에 고문방지를 위해 계속 감독하는 특별위원회가 있는지?

오 의 원 : 법제사법위에서 법무부 및 대검을 감독하여 여사한 고문주장이 있을 경우 정부측에 항의 또는 문의를 하고 있음. 예를 들어 작년도 국정감사시 서경원 사건과 관련된 이길재의 경우 동인의 수면박탈에 의한 고문주장은 최소한의 수면시간이 제공되었다는 점에서 법원에서 기각됨.

공람 90년 10월 24일	담 당	과 장	국 장
	(서명)	(서명)	(서명)

0232

Hoffman : 수면부족으로 의한 고문은 결국 제한된 수면에서 온다고 볼수 있을것 같은데.

오 의 원 : 연속적으로 2-3일을 안재웠다고 하면 고문이 성립되겠으나 부득이 하게 수사가 저녁시간까지 연장되어도 5-7시간 정도의 수면시간을 허용할 경우는 고문이라고 볼수 없을 것임.

Hoffman : 고문방지협약에 대한 행정부 측의 검토는 어떻게 이루어지고 있는지?

오 의 원 : (법무부 보고 청취후) 법무부측은 유보없이 가입할 의향을 외무부에 통보하였고 외무부도 여타 절차를 준비중임.

Hoffman : 시민적 정치적 권리협약(CCPR) 가입후 국내 추가입법은 없었는지?

오 의 원 : (법무부 의견 참조) 필요한 조치를 마친후 가입했기 때문에 추가적인 입법은 없었던 것으로 알고 있음.

Hoffman : 국가보안법 개정에 대한 논의가 어디까지 와 있는지?

오 의 원 : 본인이 의장이었던 「법률개폐특위」에서 여야간에 각각의 개정안을 제시하고 협상중에 있음. (양측안 소개 및 차이점 비교)

Hoffman : 현상황에서 국가보안법 개정을 위한 협상이 합의에 도달할 런지?

오 의 원 : 그 점에 관하여 언급하기전에 남북교류 촉진법을 설명코자 함. (남북교류 촉진법 설명) 동 법에 의하여 합법적 방북의 절차가 마련되었으나 허가를 받지않고 방북한 사람은 보안법의 적용을

0233

받았었음. 민자당의 개정안은 허가없이 방북한 사람들도 여권 이나 비자없이 해외여행을 한 사람에게 주는 질서벌 정도로 처벌할 수 있도록 하고 있음. 동 개정안은 야당측이 11월초 등원 하더라도 금년 회기가 1개월밖에 안남아 금년내 협상타결 및 통과가 어려운 경우 명년 3-4월경의 회기로 이월될 것임.

Hoffman : 민자당의 개정안에서도 불온서적의 소지가 구체적인 범법행위 없이도 처벌되는지?

오 의 원 : 우리 개정안에서도 불온서적의 소지가 이적행위나 반국가행위 목적일 경우 처벌대상이나 학술적.예술적 목적일 경우는 대상이 아님. 또한 이러한 의도 여부의 판별이 문제이지만 본인의 진술과 정황적 증거에 의존할 수 밖에 없을 것임.

Hoffman : 그러한 서적의 소지가 단순한 양심의 표현이라는 점에서 추가 적인 기준을 도입할 것을 검토한 바가 없는지?

오 의 원 : 불온서적이 안전보장 침해를 위해 배포되고 선전에 이용될 때만 처벌대상으로 밝힌 바 있으나 그래도 검찰 및 경찰은 정황증거등 보충증거확보를 위해 신중을 기해야 할 것임.

Hoffman : 그러한 조항이 CCPR 19조의 '표현의 자유'를 보장하기 위한 요건과 상충된다고 보지는 않는지?

오 의 원 : 아국의 특수상황을 고려할때 그러한 서적이 국가안보 침해의 수단으로 사용될 경우 이를 규제해야 함은 합당하다고 봄. 어느나라도 완벽한 법체계를 갖추고 있지 못하며 보안법도 그렇지는 못함. 그러나 남북분단 및 군사적 대치 상태는 한시적이나마 부득이 국가보안법을 필요로 하고 있음.

0234

보안법의 운명은 그 무엇보다도 남북관계의 개선여부에 달려 있음. 통일 또는 통일전에라도 남북간에 상호 무력적 흡수를 방지하는 기본적인 관계설정이 있게되면 보안법의 필요성은 차차 없어질 것임.

Hoffman : 안권규약 조항의 실현을 위한 요건에 대한 A.I.의 견해를 보시겠는지?

오 의 원 : 앞으로의 의정활동에 참고하고 동 요건에 접근토록 노력하겠음.

(기타 주제)

Hoffman은 그외에 보안사의 민간사찰 문제, 사형제도 폐지문제등에 대하여 추가 질문. (생략). 끝.

0235

법무실장 인사 및 당부말씀

0236

목 차

0237

인 사 말 씀

- 먼저 여러분들의 한국방문을 환영하며, 국제사면위원회가 그동안 한국의 인권문제에 많은 관심을 표명하여 준 데 대하여 감사드림

- 국제사면위는 세계 각국의 인권향상에 대한 공헌을 인정받아 1977년 노벨평화상을 수여받은 것으로 알고 있음.
  그리고 주요 활동상황에 대하여는 연례보고서나 월간 뉴스레터를 통하여 잘 알고 있음

- 귀 단체를 비롯한 국제인권단체에서 발행하는 각종 보고서는 세계 거의 모든 나라에서 인권문제가 생기는 것으로 보고하고 있음.
  이는 각종 인권문제는 선진국, 후진국을 가리지 않고 끊임없이 발생하고 있음을 의미한다고 할 수 있음. 선진국이라고 일컫는 미국의 경우만 보더라도 사형제도, 소수 유색인종에 대한 차별, 시위진압중 경찰권의 남용 등 많은 문제가 발생하고 있음을 알 수 있음

- 이같은 사실은 인권문제가 전혀 없는 사회를 만드는 것이 매우 어려운 일임을 잘 보여주고 있음

0238

1

그렇다면 무엇이 문제인가, 그것은 바로 인권침해를 사전에 예방하고 이를 최소화하려는 국가의 결연한 의지와 끊임없는 노력이라고 할 것임

o 그러면 오늘 이 기회를 빌어 그간 우리 정부의 인권보장을 위한 의지와 노력에 관하여 말하겠음

그간 인권개선을 위한 정부의 노력

o 흔히들 90년대는 인권과 화합의 시대라고 말하고 있는데, 국제적으로는 동서화해, 국내적으로는 남북관계의 진전 등으로 첨예했던 이데올로기의 대립이 빛을 잃어가고 그대신 인류공통의 관심사인 기본적 인권의 개선, 확충을 위한 국제적인 노력과 국내정책의 변화경향을 지칭한 것이라고 할 것임

o 제6공화국은 이러한 시대적 요청에 부응하여 국민의 기본적 인권을 신장하기 위한 각종 시책을 꾸준히 추진하고 있고, 그동안 괄목할만한 진전을 이룩하고 있는 것은 여러분들도 잘 알고 계실 것임

0239

o 우리 정부는 제6공화국 출범이후 민주화. 자율화 정책을 과감히 추진하여 나가면서 특히 인권의 완벽한 보장에 주력하고 있으며, 이러한 의지하에 형사사법절차와 관련한 각종 제도와 수사관행을 개선하였음

o 종래 국가보안법 위반사건 및 검사인지사건 등을 구속적부심청구 대상에서 제외한다는 규정을 삭제하여 모든 범죄에 대해 구속적부심 청구를 할 수 있는 등 형사소송법의 많은 규정을 개정하였고, 형사보상법을 개정하여 무죄판결을 받은 사람 뿐 아니라 불기소처분된 구속피의자의 형사보상청구권을 인정하였으며, 사회안전법을 발전적으로 폐지하고 대신 보안관찰법을 제정하였으며, 사회보호법을 개정하여 필요적 보호감호제도를 삭제하고 범죄피해자구조법을 제정하여 범죄 피해자에 대한 국가구조제도 등을 신설하였음

o 또한 검사가 매월 1회 실시하고 있는 구속장소 감찰을 더욱 강화하고 사법경찰관리에 대한 지휘교양을 철저히 하는 등 수사과정에서 혹시라도 발생할지 모를 가혹행위를 근절키 위하여 최선의 노력을 다하고 있음

3

0240

o 그리고 재소자의 접견, 서신발송, 도서열독 및 신문구독, 방송청취 등 처우와 관련하여 이에 대한 제한과 금지를 대폭 완화하거나 전면 허용하는 등 행형제도를 획기적으로 개선하였음

o 나아가 정부는 1988.2.27 구속자 2,134명 (소위 시국사범 및 공안사범 125명 포함)을 석방하는 등 총 7,234명을 석방, 사면. 복권하는 한편, 그해 12.21 다시 소위 시국사범 및 공안사범 281명을 석방하는 등 총 2,015명에 대한 석방 또는 사면. 복권 조치를 단행함으로써 ~~우리의 인권상황에 대한 비판대상의 대부분 해소되었음~~ 소위 구금자 문제에 대한 논란을 종식시켰음.

o 그러나 급속한 민주화 과정에서 사회 각 분야의 다양한 욕구가 한꺼번에 터져나옴으로써 집단적인 힘이나 폭력으로 문제를 해결하려는 사람들이 많아지고 더 나아가 자유민주주의 체제를 근본적으로 파괴하려는 세력들의 활동이 늘어나 부득이 이들에 대하여 엄정한 법집행을 하지 않을 수 없었는 바, 이를 두고 사회 일각에서는 정부가 또다시 많은 정치범, 양심수를 만들고 인권을 탄압하는 것처럼 주장함으로써 소위 인권시비를 일으키고 있음

o 그러나 정부의 엄정한 법집행은 민주발전에 역행하는 불법과 폭력을 뿌리뽑아 사회안정을 이룩해야 한다는 국민적 공감대에 바탕을 둔 것으로써 정부는 앞으로도 법치주의를 확립하기 위하여 모든 노력을 아끼지 않을 것임

0241

공정하고 객관적인 보고서 작성 당부

- 그럼에도 불구하고 귀 단체에서는 제5공화국 시절의 일부 불행했던 인권침해사례에서 오는 선입관 때문에 제6공화국에서도 같은 방법으로 인권침해가 계속되고 있는 것으로 주장하는 것은 지극히 피상적인 판단임

- 정부는 특히 이를 민주화 후퇴나 인권상황의 역전으로 보는 시각이 잘못된 것임을 지적하지 않을 수 없으며, 이는 불법과 폭력을 추방하여 법질서를 확립해 나가는데서 파생할 수 밖에 없는 불가피한 조치라는 점을 다시 한번 강조하고자 함

- 사실이 이러함에도 각종 인권보고서 등에서 이들을 양심수라고 일방적으로 규정하는 것은 사실을 제대로 파악하지 못하고 어느 한편의 악의적인 주장을 충분한 검증없이 수용한 결과로 보여짐.
  같은 이유로 국제사면위의 각종 보고서에서 서경원, 방양균, 홍성담 등 많은 구속자들에 대하여 고문. 가혹행위가 부활되고 있는 것처럼 기술하고 있는 것도 시정되어야 할 것임

P6- P.9 삽입 >

- 따라서 우리 정부는 귀 단체의 국내 인권상황 파악활동이 객관적이고 공정하게 이루어져 우리의 인권상황에 관하여 편향되지 않고 균형잡힌 시각을 갖게 되기를 바람

0242

추가부분 P6~P

귀 단체의 '90.2 인권보고서와 '90.7 연례인권보고서중 편향적인 사례를 몇가지만 지적하고자 함.

<'90. 2 인권보고서> 중

1. 국가보안법 제7조(찬양,고무등)가 북한의 미군철수 요구지지 기사를 게재한 대학신문사 편집인들을 구속하는 구실로 이용되고 있다고 기술

- 좌익폭력혁명을 선동하는 일련의 내용을 문제삼은 것임에도 그중 일부 (미군철수 요구)만을 기술하여 법률의 적용을 왜곡 설명

2. 국가보안법위반 구속자 대부분이 신빙성있는 증거에 의해 간첩 또는 폭력활동으로 기소되지 않고, 고문이나 정당하지 못한 재판으로 형을 선고받은 '양심수' 라고 규정 (연례보고서 동일)

- 개별적이고 구체적으로 근거를 제시함이 없이 개괄적으로 기술하여 아국의 사법활동 전반에 대해 오해를 야기함

3. 89.4.3 - 6.19. 공안합동수사본부는 정치적 이유로 368명을 체포 하였다고 기술 (연례보고서 동일)

- 구속영장이나 공소장에 기재된 범죄사실에는 전혀 언급이 없이, 또한 그 범죄사실과 정치적 이유와는 어떤 관계에 있는지에 대해서는 전혀 설명이 없이 위와 같이 기술함으로써 아국은 정치적 이유로 아무나 구속할 수 있는 국가로 오인케 함

4. 창원전자봉고문사건으로 황종수가 전치 2주의 입원치료를 요하는 상해를 입었다고 기술

- 수사결과 고문이 없었던 것으로 밝혀짐. 황종수는 진단서도 제시하지 못하였고, 위와 같은 진단이나 치료를 받은 일도 없음

5. 조선대 이철규 사망사건에 대해 학생들과 반정부 인사들은 경찰에 의해 고문사한 것이라고 주장한다고만 기술

- 수사기관의 수사결과나 야당까지 참여한 국회의 조사결과에 대해서는 전혀 언급이 없어 균형을 상실했다고 생각함. AI가 단순히 소문이나

7

0244

추장을 수집, 배포하는 단체가 아니라면 정부의 발표에 반대되는 추장에 대해서 그 근거도 검토해 주기 바람. 그와같은 노력이 없다면 아국에 전혀 도움을 줄 수 없을 뿐만 아니라 객관적 근거도 없는 사실을 국제적으로 유포하여 아국이 큰 타격을 입을 수 있음을 심각하게 고려해 주기 바람.

<'90. 7 연례보고서> 중

1. 군보안기관이나 민간보안기관이 정치사건의 수사에서 행사하는 역할은 감소되지 않고 있다고 기술

   - 보안사 및 안기부는 군과 민간부분에서 발생하는 제한된 안보관련사건만을 취급하고 있으며, 이것은 분명히 법률의 규정에 따른 것이며, 업무범위외의 사건수사에 개입할 수 없음

   - 동 보고서는 불법적인 개입사례는 밝히지 않고 정치적인 범법행위라는 모호한 표현을 사용함으로써 마치 이들 기관이 국가안보에 관련되는 사범이 아닌, 정치적 사건이나 정치인들의 범법행위에 불법, 부당하게 개입하고 있다는 오해를 불러 일으킬 수 있도록 기술

8

0245

2. 당국은 '전교조'를 불법으로 규정하였다고 기술

- 아국의 헌법과 법률이 교사들의 노동활동을 금지하고 있는 것이지, 당국의 판단에 따라 불법, 적법으로 규정될 수 있는 것이 아님

3. 장기수 복역수들중 몇명은 양심범으로 간주되고 있다고 기술

- 그 몇명의 이름, 다른 사람과 달리 양심범으로 간주되는 이유에 대해서는 언급이 없이 일방적으로 기술하여 부당한 구금이 계속되고 있는 것으로 막연히 표현.

---

o 따라서 우리 정부는 귀 단체의 국내 인권상황 파악활동이 객관적이고 공정하게 이루어져 우리의 인권상황에 관하여 편향되지 않고 균형잡힌 시각을 갖게 되기를 바람

o 우리로서는 한국내 특수안보상황에 대하여 올바로 인식하여야 할 것으로 보며, 진정 한국을 이해하려면 폭넓은 계층의 사람을 만나 입장이 다른 양쪽의 주장을 골고루 듣고 한국의 독특한 현실과 관습, 전통, 사고방식을 파악하는 것이 공정한 태도라고 봄

AI 회원의 불필요한 석방탄원 편지 자제요청

o 우리는 AI 회원들의 석방탄원 편지 발송 취지와 노력을 이해하나 기히 석방된 사람에 대하여도 계속적으로 석방을 요구하는 편지를 발송하는 것에 대하여는 유감임

o 당부는 편지 내용을 분석하여 기히 석방된 사실을 외무부를 통하여 AI 본부에 전달하고 있음에도 불구하고 계속적인 편지를 발송함은 AI회원들이 진정으로 석방탄원 대상자에 대하여 계속적인 관심을 가지고 있는지를 의심하게 됨

o 예를 들면 백옥광, 최갑천, 최철교 등의 석방사실을 이미 통보했음에도 불구하고 계속적인 석방탄원 편지가 접수되고 있는 실정임

o 또한 석방탄원 대상자를 선정함에 있어 신중을 기하여 주기 바람

10

0247

o 앞에서 말한 바와 같이 현재 우리나라에는 즉각적이고 무조건적인 석방을 해야 하는 양심수는 한명도 없음.

그럼에도 불구하고 귀 회원들은 많은 실정법 위반자들을 일방적으로 양심수로 규정, 즉각적이고 무조건적인 석방을 요구하는 내용의 편지를 발송하고 있음은 우리의 인권상황에 대한 근본적인 이해 부족에서 기인한 것으로 보임

o AI회원들의 석방탄원 대상자에 대한 석방사실 및 석방주장에 대한 아국 입장이 AI본부에 전달될 때에는 가급적 동 내용을 빠른 시일 내에 AI회원들에게 전달되어 석방된 사람에 대한 편지발송 자제와 AI회원들이 우리의 입장을 이해하는 계기가 되었으면 좋겠음

11

0248

예상되는 일반적 질문사항

0249

목 차

0250

양 심 수 문 제

ㅇ 국제사면위원회는 폭력을 사용하거나 옹호하지 않음에도 신념, 피부색, 성별, 인종적기원, 언어, 종교를 이유로 구금된 자를 양심수로 정의하는 것으로 알고 있음

ㅇ 그러나 그러한 정의도 대상을 판단함에 있어서 명확한 개념이 되고 있지는 아니함. 즉 신념이나 종교를 이유로 구금된 자라고 한다면 어떤 신념이나 종교를 가지고 있다는 사실만으로 구금된 자를 말하는 것인지 아니면 그 뿐만 아니라 어떤 신념이나 종교에 입각한 행동이 비폭력적인 경우에도 모두 양심범에 해당한다는 것인지 명백하지 아니함. 예를들면 공산주의 사상을 가지고 있다거나 기독교를 믿고 있다는 사실만으로 구금된 자를 말하는 것인지 아니면 그 뿐만 아니라 공산주의사상에 입각하여 공산주의 국가를 위해 비폭력적인 간첩행위를 하는 경우, 또는 종교적인 이유로 군복무를 거부하거나 기도만을 주장하다 유아를 죽게 만드는 경우에도 모두 양심범에 해당한다는 것인지 명백하지 아니함

1

0251

o 국제사면위원회의 정의가 만약 전자를 의미한다면 대한민국에는 신념, 피부색, 성별, 인종적기원, 언어, 종교만을 이유로 구금된 자는 없음

o 즉 아국은, 단순히 어떤 사람이 공산주의사상을 가지고 있다는 이유로 또는 특정종파를 믿는다는 이유로, 피부가 검다는 이유로, 여자라는 이유로 구금을 한 사실은 없음

o 그러나 국제사면위원회의 정의가 후자를 의미한다면, 즉 어떤 사람이 신념이나 종교에 따라 적극적 또는 소극적 행위를 한 경우에 그 행위가 비폭력적인 한 즉각 석방되어야 할 양심수라는 견해에는 전혀 수긍할 수가 없음

o 왜냐하면 어떤 신념이나 종교에 따라 행해 진 행위가 비록 비폭력적이라고 할 지라도 앞에서 설명한 바와 같이 폭력적 행위에 못지 않게 어떤 국가나 사회, 그리고 다른 개인에게 큰 피해와 고통을 줄 수 있기 때문임

2

0252

o 또한 국제사면위원회의 양심수라는 개념이 어떠한 국가나 사회에 있어서도 적용될 수 있는 인류의 보편적 양식에 기초한 것이라고 믿기 때문에 더욱 후자의 견해는 수긍할 수가 없는 것임

o 그리고 어떤 신념이나 종교에 근거하여 행해진 적극적, 소극적 행위에 대해 법적 제재를 가하는 범위는 그 나라의 역사, 환경, 전통, 가치, 윤리등에 따라 차이가 있을 수 있으며, 결국 그 내용은 그 나라의 국민 총의에 바탕을 둔 헌법과 법률로 나타난다고 할 것임

o 지금까지 국제사면위원회에서 양심수로 거론된 사람들을 보면 단순히 그들이 어떤 신념과 의사를 가지고 있다는 이유만으로 구금된 사람은 없음. 그들은 그 신념과 의사를 이유로 적극적 행위에 까지 나간 것이며 그것이 실정법을 위반하게 된 것임. 즉 북한을 위해 국가기밀을 수집하는 등 간첩행위를 한다거나 몰래 북한을 왕래한다거나 폭력혁명을 선동하는 유인물을 제작, 배포하는 등의 실정법위반 행위를 한 것이며, 따라서 재판결과에 따라 처리되어야 할 것임.

3

0253

o 국제사면위의 각종 보고서에 소위 양심수라고 주장되는 문익환, 유원호, 이영희, 이재오, 이부영, 고은, 서경원 및 동 사건 관련자들, 임수경, 문규현, 홍성담 등에 대하여 우리는 이를 결코 양심수라고 할 수 없음

o 만약 이들도 즉각 석방되어야 할 양심수라고 주장한다면 그것은 각국이 가지고 있는 공산주의자들의 활동에 관한 규제법률, 출입국에 관한 법률, 집회에 관한 규제법률 등에 위반된 사람들이 모두 사상이나 여행, 의사 표현의 자유에 대한 신념에 따른 행동을 한 사람들이므로 즉각 석방되어야 한다는 주장과 마찬가지라 할 것이며, 오히려 보편적 양심에 반하는 명백히 부당한 주장이라 할 것임

4

0254

정치범, 장기수

- 정치범이 무엇인가에 대해서는 말하는 사람마다 그 개념규정을 달리 하고 있음

- 그러나 정치범을 어떻게 규정하던 간에 정치범으로 지칭되고 있는 사람들은 모두 간첩행위 또는 정부의 전복을 기도하는 등 우리의 실정법을 위반하여 재판을 받고 재판과정에서 충분한 증거가 드러나 유죄판결이 선고된 사람들임

- 북한과 좌익세력의 위협에 대처하여 우리 국가의 안전과 국민의 생존 및 자유를 확보하기 위하여 국가보안법이 있는 것이며, 따라서 우리의 체제를 전복하기 위한 반국가활동이나 북한의 대남적화통일 전략.전술에 동조하는 반국가사범등을 정치범이라는 이름아래 석방해야 한다는 것은 더 나아가 우리나라가 공산화되어도 좋다는 뜻이 되는 것임

o 대한민국의 헌법이념을 파괴하고 국가주권을 무시하는 실정법위반 행위를 한 사람들에 대하여는 엄중처벌할 수 밖에 없으며, 이러한 국가보안법 위반사범들을 정치범이라는 이유로 특별한 취급을 하여야 한다는 주장은 그 국가의 안전과 국민의 생존권을 신중히 고려하지 못한 독단적 견해임

o 그리고 소위 인권단체에서 장기수의 석방을 요구하고 있으나 제6공화국에 들어와 1988.12.21. 까지 수회에 걸친 사면조치로 인해 현재 구금 중인 장기수는 대부분 사안이 중한 간첩사범이므로 더욱 실정법을 무시하고 이들을 석방할 이유는 없음.

左翼囚收容現況

90.10.18 現在

○ 總人員 (旣決)	:	146 名 (無期 71, 有期 75)
. 轉向者	:	89 名 (無期 21, 有期 68)
. 未轉向者	:	57 名 (無期 50, 有期 7)

○ 長期服役者 (全員 未轉向)

. 20年以上 30年未滿 : 27 名

. 30年以上 服役 : 15 名 (35年以上 5名)

○ 罪 質

. 南派間諜 : 55 名 (轉向 11, 未轉向 44)

. 歐美留學生間諜 : 6 名 (轉向 4, 未轉向 2)

. 在日僑胞 間諜 : 6 名 (轉向 6)

. 在日工作員包攝間諜 : 24 名 (轉向 21, 未轉向 3)

. 拉北漁夫 : 14 名 (轉向 12, 未轉向 2)

. 其 他 : 41 名 (轉向 35, 未轉向 6)

○ 年 齡

. 70歲以上 高齡者 : 9 名 (轉向 1, 未轉向 8)

. 60歲以上 70歲未滿 : 43名 (轉向 21, 未轉向 22)

. 60歲未滿 : 94名 (轉向 67, 未轉向 27)

★ 未轉向者는 大田矯導所에 收容하여 集中 轉向說諭
轉向者는 大邱, 光州, 全州, 安東 矯導所에 分散收容

★ 密入北關聯 等으로 刑確定된 文益煥, 徐敬元, 林秀卿, 文奎鉉
等은 包含되지 않었음.

0257

7

불법구금과 고문방지를 위한 대책

- 우리 정부로서는 제6공화국 출범 이후 사회전반의 민주화 추세에 따라 신장된 국민의 인권의식에 부응하기 위하여 인권침해방지를 위한 나름대로의 노력을 경주하여 왔고, 특히 부당한 구속과 수사과정에서의 고문행위를 근절하겠다는 강력한 의지를 수차 천명하여 왔음

- 이에 따라 검사의 구속장소 감찰을 강화하여 월 1회에 한하지 않고 필요할 때마다 수시로 감찰하고, 자체 구속장소가 없는 수사관서에 대하여도 불법사례 유무를 조사하여 수사과정상 적법절차가 준수 되도록 하고 있음

- 앞으로도 정부는 일선 수사기관에 대한 지휘감독을 보다 철저히 하고 수사요원에 대한 지속적인 인권의식 함양을 통하여 수사과정에서의 인권침해방지에 만전을 기하도록 하며, 아울러 과학적 수사장비와 수사기술을 도입하여 수사를 과학화 하도록 계속 노력할 것임

- 또한 고문방지협약에의 가입을 전향적으로 추진중에 있음

변 호 인　접 견 권

o 변호인 접견은 헌법과 형사소송법에 의하여 보장되고 있으며, 이를 제한하거나 거부할 수 없게 되어 있고, 따라서 변호인들이 수사중이라도 얼마든지 피의자와 만날 수 있는 권리가 있음

o 다만 우리 형사소송법상 피의자의 신문과정에 변호인을 필요적으로 참여시키게 되어 있지는 않으므로 이는 수사기관의 의무사항이 아니며, 또한 변호인이 접견을 요구할 때 마침 중요한 수사가 진행중에 있으면 불가피하게 다소 지연되는 사례는 있을 수 있겠으나 홍성담 사건에서 보는 바와 같이 법원은 변호인의 접견교통권이 보장되지 않은 상태에서 작성된 증거에 대해서는 증거능력을 부인하고 있으므로 수사기관은 항상 이를 유념하여야 함.

대범죄전쟁 선포에 따른
후속 법개정의 인권침해시비

ㅇ 대통령의 대범죄전쟁 선포에 따른 후속조치의 일환으로 법무부에서는 국민의 생명과 신체의 안전을 보장하고 범죄로부터 사회를 방위하기 위한 목적의 "흉악범죄등 처벌에 관한 특별입법"을 검토하여 오고 있는 것은 사실임.

ㅇ 그러나 아직도 연구검토단계에 있을 뿐 위 특별입법의 시안을 확정한 바 없으므로 위와같은 질문에 대해서는 답변드릴수 없음

ㅇ 다만,인권침해의 우려있는 방향으로의 법제정추진은 하지도 않을것이며 또 할수도 없다는 것을 밝혀 둠.

ㅇ 왜냐하면,한국에는 헌법재판소가 있어서 설사 인권침해적이거나 위헌적인 법률을 제정하게 되더라도 동헌법재판소에서 위 법률에 대해 위헌결정을 내리게 될것이며 그렇게 되면 그 법률은 당연 무효로 되어 효력을 잃게 되기 때문임.

10

0260

안기부의 시사토픽 객원기자 불법연행 보도문제

ㅇ 보도요지

- 안기부 직원 4명이 8.5. 14:00 시사토픽 객원기자 노가원을 대로상에서 강제연행

- 동일 15:00 수사관 2명이 영장없이 노가원의 집에서 기사관련 자료를 가져감

ㅇ 진상내용

- '90.8.2자 시사토픽 (19호)에 "노대통령에 반기, 김복동 대권공작" 제하로 김복동이 군부를 포함 각계를 규합, 대통령에 반기를 들었다는 등 국가안보와 통치권에 밀접하게 관련된 내용 보도와 관련하여 기고자인 객원기자 노가원 (본명 : 노종상)의 신원을 파악하고 동 기사의 보도경위를 알아 보던 중 동인을 이 건 외에도

. 시사토픽 8.9호에 "육여사 저격범은 당시 경호과장 신현순 일 수 있다"는 요지로 법원의 판결에 의해 확정된 내용을

왜곡하는 기사를 게재, 피해자 신현순으로부터 고소를 당해 검찰에서 수사중에 있고

. 또한 월간 다리지 ('90.1-6월호)에 "빨치산 하준수 일대기" 제하로 빨치산 두목을 민족주의자로 묘사하는가 하면 "한국 전쟁과 미국의 원죄" 제하로 6.25 당시 미군의 전쟁수행중 일부 과도한 조치만을 부각, 반미감정을 고취시켜 돈독한 한.미 우호관계를 의도적으로 저해시키려고 한 사실이 있는 등

. 허위사실을 의도적으로 날조, 사회혼란을 조성하고 국익을 저해하는 등 불순혐의가 있다고 판단되어 '90.8.5 자가에서 임의동행, 조사한 것임

- 본건에 대하여 조사결과 노종상은 고향선배이고 일정한 직업없이 각 정당 등 정치단체를 전전하면서 정치적 입신을 꿈꾸고 있는 하민식으로부터 허무맹랑한 정가 동향에 대해 얻어 들은 내용을 독자의 흥미를 끌기 위해 확대, 과장 보도하였을 뿐 특별한 불순 동기나 배후관계는 없는 것으로 일단 밝혀져 귀가조치하였음

- 노종상은 본건 기사로 인하여 물의가 일어나고 사회여론이 악화 되자 도피, 잠적하였다가 자가 부근에서 기다리고 있던 수사관에게

12

0262

인지되어 임의동행을 불응하여 조사의 불가피성을 설명하고

동행을 요구하여 응하게 된 것임.

그 과정에서 다소 강제성이 있었으나 이는 어디까지나 본인의

동행불응과 수사관의 직무의욕으로 빚어진 것이며, 다른 의도는

없었던 것임

- 향후 같은 사례가 재발되지 않도록 처벌에 상응할 정도로 엄중히

훈계함과 아울러 철저히 교양하였을 뿐 아니라, 당사자에

대하여도 전후 사정과 수사에 협조하여 불순혐의를 벗게 된

점을 설명하여 충분히 이해된 것으로 알고 있으며 사무실 수색은

일체 없었음

13

0263

형사소송법 개정 추진 상황

ㅇ 법무부 검찰국에서는 1980. 부터 형사소송제도 개선연구반을 설치하고 형사소송법개정에 관한 조사 연구작업을 장기과제의 하나로 꾸준히 추진해 오던중 '89.11.3. 동연구반을 확대 개편하고 본격적으로 형사소송제도 전반에 걸친 연구 검토작업을 계속하여 왔음.

ㅇ 그간 연구반에서는 구속영장실질심사제도, 체포영장제도를 근간으로 하는 형소법개정시안을 마련하는 한편, 대법원등 관련기관의 의견 및 검.경등 일선수사기관의 여론조사 결과를 수렴하여 최종 개정시안을 성안할 단계에 까지 이르렀음.

ㅇ 개정안의 전체적 내용은 현행 수사체계, 특히 인신의체포, 구금에 관한 강제수사체계를 근본적으로 개혁하여 수사의 능률과 효율성을 제고하는 한편 범죄피의자의 인권보장 및 범죄피해자 보호에 최대 역점을 두고 있음.

14

0264

재소자에 대한 부당한 처우시비 사례

(세계인권단체등의 주장사례 중심)

1. 교도관들이 재소자들에게 가혹행위 등 인권을 유린하고 있다는 주장

o 우리나라의 교도소에서는 수용된 모든 재소자에 대하여 인격적인 처우와 인간적 생활을 최대한으로 보장하고 있으며, 수용된 범법자들의 그릇된 심성을 순화하여 선량한 국민의 한사람으로 사회에 복귀시키기 위한 다양한 교정교육 프로그램을 운영하고 있음

o 그러나 대부분의 재소자들은 모든 국민이 준수하여야 하는 법과 질서를 파괴하고 범죄행위를 통하여 자신의 욕구를 성취하려는 성향이 있는자들로서 일부 재소자들은 교도소 안에서도 적법한 처우에 대한 개인적 욕구 불만으로 기물을 파손하거나 직원을 폭행하는 등 수용질서를 문란케 하는 소란, 난동 행위를 자행하는 경우가 있으므로 이러한 사람들에 대하여는 수용질서 유지와 타 재소자의 안정된 생활을 보호하기 위하여는 법률이 정하는 범위내에서 적법한 제제 조치를 하고 있음

o 이들중 극히 일부 재소자들은 적법한 조치임에도 불구하고 징벌등으로 받게되는 불이익을 면탈하려고 사실을 과장, 왜곡하여 가혹행위라고 주장하고 있을 뿐 교도관들이 가혹행위나 고문을 가한 사실은 전혀 없음

o 이와 관련하여 최근 일부 공안사범들이 교도소 생활을 투쟁활동의 연장으로 생각하고 처우개선 등을 구실삼아 구호제창, 단식, 집단 소란, 기물파손 및 자해행위를 하거나 교도관에게 폭언. 폭행 등을 자행하는 사례가 빈번히 발생하고 있음

o 모름지기 교도소나 구치소는 다른 어떤 기관보다도 질서유지가 절실히 요구되는 곳임.
그럼에도 불구하고 극소수에 불과한 수용자들의 불법 과격투쟁은 교도소의 수용질서를 뒤흔들고 교도관의 사기마저 크게 저하시키고 있음. 이로 말미암아 교정당국으로서는 상당히 어려운 국면을 맞고 있는 것이 오늘의 현실임

o 따라서 교도소 당국에서는 이들의 행위가 소내 질서유지나 규율에 순응하는 일반 형사범에까지 악영향을 미치게 된다는 점을 감안, 설득에 불응할 경우 부득이 행형법 등 관계법규에 따른 제재를 가하지 않을 수 없음. 그러다 보면 그 과정에서 재소자들과 직원 사이에 다소의 몸싸움이 벌어지는 사례도 없지 않음

o 그런데 이런 사례들을 놓고 본인이나 가족들이 교도소 또는 구치소안의 인권유린이나 가혹행위로 왜곡 선전하는 경우가 허다하게 발생하고 있음.
이러한 몇가지 실례를 살펴보겠음.

16

0266

(사 례)

가. 서울구치소 집단소란

- 90.8.27 서울구치소에 수용되어 있던 공안관련사범 김용기 등 3명이 도서 "해방전후사의 인식"이 불허된데 대한 불만으로 도서검열 기준과 근거가 무엇이냐며 소란을 자행하여 제지하여 훈계함

- 그러나 이들은 도서검열 폐지를 요구하다 교도관으로부터 폭행을 당했다고 허위사실을 타 재소자들에 유포하여 집단소란을 선동하여 60여명이 임의로 교무과에 집결하여 유리창문 등 기물을 파손하고 극렬한 집단소란을 자행

- 교도관들은 자제를 촉구하고 설득 하였으나 이에 불응하고 접근하려는 직원들에게 각목등을 휘둘러 교도관 8명이 머리에 16바늘을 봉합하는 부상을 입는등 극렬한 소란으로 물리적 제지가 불가피하였음

- 이들은 제지된 후에도 소란을 계속하여 규정에 따라 시승시갑하여 격리수용 하고 징벌조치 하였으나 잘못을 반성하여 징벌을 보류하였음 (직원 폭행자 2명 입건송치)

- 재소자들은 자신들이 도서검열제도 폐지 요구와 임의로 집결하여 집단소란을 자행하고 교도관들에게 폭행한 사실에 대하여 잘못을 시인하고 있으면서도 규정에 의한 시승시갑과 제지과정에서 몸싸움 등으로 빚어진 다소의 찰과상 등을 폭행이라고 허위 또는 과장하여 주장하고 있음

나. 마산교도소 집단소란

o 90.7.25 마산교도소에 수용된 일반재소자 배영태의 처 이명자가 타인의 주민등록증을 제시하고 접견을 하려다가 직원에게 적발되어 접견을 제지함

o 이러한 사실을 전해들은 공안관련사범 이영국등 7명이 재소자 권리침해 운운하며 고성을 지르고 발로 출입문을 차며 일반재소자를 선동하는 등 소란을 자행, 자제를 촉구하였으나 이에 불응하고 극렬한 소란을 계속함

o 질서 유지와 타 재소자들의 안정된 생활 보호를 위해 규정에 따라 시승 시갑하여 격리수용하고 징벌조치 하였으나 잘못을 반성하여 잔번을면제함

o 이들은 제지과정에서 규정에 의한 시승시갑등 정당한 직무집행을 폭행 또는 가혹행위라고 주장 하고 있음

다. 부산구치소 재소자 불식 (10.18 한겨레 사설)

o 기사내용

부산구치소에 수용된 시국관련자 70여명은 보안사 해체를 요구하며 5일째 단식, 현재 구속중인 양심수는 1,300여명임

구치소 당국은 강제급식을 하여서는 안됨

o 사실내용

부산구치소에 수용된 공안관련사범은 80여명이며 이중 60여명이 보안사 대민사찰에 대한 불만으로 90.6.13부터 3일간 불식하였음

구치소등 수용기관에서는 재소자들이 불식하는 경우 간부 교도관들이 상담을 통한 설득으로 취식케 하였으며, 강제 급식을 한 사례는 없으며 의무관이 수시 건강상태를 점검하여 영양주사 등으로 건강관리를 하고 있음

2. 사상범에게 전향을 강요하고 이들에 대하여 차별대우를 하고 있다는 주장

o 교정시설의 기능은 수형자에 대하여는 행형법의 규정에 따라 교정 교화하며 건전한 국민사항과 근로정신을 함양하고 기술교육을 실시하여 사회에 복귀시키도록 되어 있음

o 이에 따라 민주주의를 부정하는 좌익수형자에 대하여도 교정교육의 차원에서 자유 민주체제의 우월성을 인식하고 공산주의 사상의 허구성을 인식하도록 각종 교정교화 활동을 전개하고 있으며, 전향서 제출도 전적으로 본인의 자유로운 의사에 의하고 있으며, 강요된 전향은 전향의 의의가 없는 것임

o 이러한 취지에서 공산주의 사상을 포기하고 간첩행위 등을 하다가 검거되어 형을 받은 좌익수형자에 대하여는 교도소내에서 다각적인 교정교화 활동을 전개하여 스스로 공산주의 사상을 포기하는자에게만 자유의사에 따라 전향서를 작성케 하고 있을 뿐 강요에 의한 사상 전향이란 있을 수 없는 것임

o 모든 재소자들의 수용처우는 동일할 뿐 아니라 공안사범의 가석방도 금년중 3회에 걸쳐 31명을 허가한바 있으며 사상범이라는 이유만으로 차별대우를 받는 사실은 전혀 없음

3. 재소자의 접견과 서신등 교통권을 제한하고 있다는 주장

o 재소자에 대한 접견은 친족에 대하여는 제한하지 않고 있으며 친족이외자에게는 대폭 완화하여 허가하고 있으나 공범관계에 있는자등 교화상 극히 부적당하거나 소송수행 과정에서 법률에 의해 제한하는 경우에만 불허하고 있음

o 변호인의 접견은 어떠한 이유로도 제한하지 않고 허가하는 등 소송수행과 접견교통권에 장애됨이 없이 적극 협조하고 있음

o 재소자의 서신은 회수대상등을 제한하지 않고 있으며, 다만 내용이 교화상 극히 부적당한 경우에만 불허하고 있음

20

0270

4. 재소자들에게 의료시혜를 충분히 해 주지 않고 있다는 주장

○ 각 수용시설은 재소자의 건강관리를 위하여 시설의 규모에 따라 다소 다르기는 하나 일반적으로 외과, 내과, 치과 등 전문의사 2-3명이 상주 근무하는 한편 근거리에 있는 사회종합병원등과 지원체제를 구축 질병의 예방과 치료에 철저를 기하고 있으며,

○ 가족 또는 변호인 등의 외부의사의 진료를 신청해 올 경우에는 모두 허가하고 있으며, 고도의 전문성을 요하거나 시설자체 치료가 어려운 경우에는 사회병원 등에 이송하여 전문의사의 진료를 받게 하는 등 재소자의 건강관리에 최선을 다하고 있으며, 외부병원 진료를 제한하는 일은 없음

○ 평상시에도 재소자들은 자신들의 건강관리를 위하여 자기 비용으로 영양제를 구입, 복용할 수 있을 뿐 아니라 치료를 위한 약품도 구입 사용 할 수 있는 등 재소자 건강관리에 대하여는 적극 조치하고 있으며, 제한하는 경우는 없음

5. 재소자들에게열독도서를 제한하고 있다는 주장

o 교도소 등에서 도서의 검열을 당해 소장이 재소자의 교화차원에서 인격도야와 생활정보등에 관련된 도서는 무제한 허가할 뿐 아니라 열독을 적극 권장하고 있으며, 교화에 유해하다고 인정되는 국시를 위반하고 범죄행위를 조장하는 극히 일부에 대하여만 불허하고 있음

o 일번적으로 도서검열에 대하여 일반재소자들은 긍정적이며 불만 사례가 없는데 반하여 유독 공안관련사범 중 일부 재소자들이 좌경 서적의 불허에 대한 불만을 표지하고 있으나 재소자의 교정교화 및 교육적 차원에서도 내용이 국시를 위반하거나 범죄행위를 조장하는 도서의 열독제한은 불가피한 것임

22

0272

6. 재소자들을 좋지 않은 시설에 수용하여 비인간적인 처우를 하고 있다는 주장

o 재소자의 수용은 대부분은 혼거수용하고 있으며, 개별적인 처우를 필요로 하는 극히 일부자에 대하여서는 독거수용하고 있음

o 주·부식은 사회의 영양사등 전문인으로 구성된 급식관리 위원회에서 작성한 메뉴에 의하여 급식하고 있을 뿐 아니라 자비로 간식등을 구입 취식할 수 있도록 허가하는 등 재소자 영양관리에 최선을 다하고 있음

o 운동등은 1일 1시간 이상을 실시하고 있으며 철봉, 배구, 농구 등 운동에 필요한 기구를 설치 또는 대여하여 체력관리에도 충실하는 등 유엔경제사회 이사회에서 결의한 재소자 처우 최저규칙을 성실히 이행하고 있음

o 수용시설은 냉·난방과 수세식 변기 시설등 집단위생을 감안하여 신축하였으며, 재소자의 건강유지에 충분한 문화 시설임.

공 란

공 란

공 란

공 란

공

공 란

공 란

공 란

공 란

공 란

공 란

공　　란

공 

공　　　란

공 란

공 란

공 란

공 란

공 란

공 란

공 란

공 란

공 란

공 란

공 란

공 란

공 란

공　　　란

0304

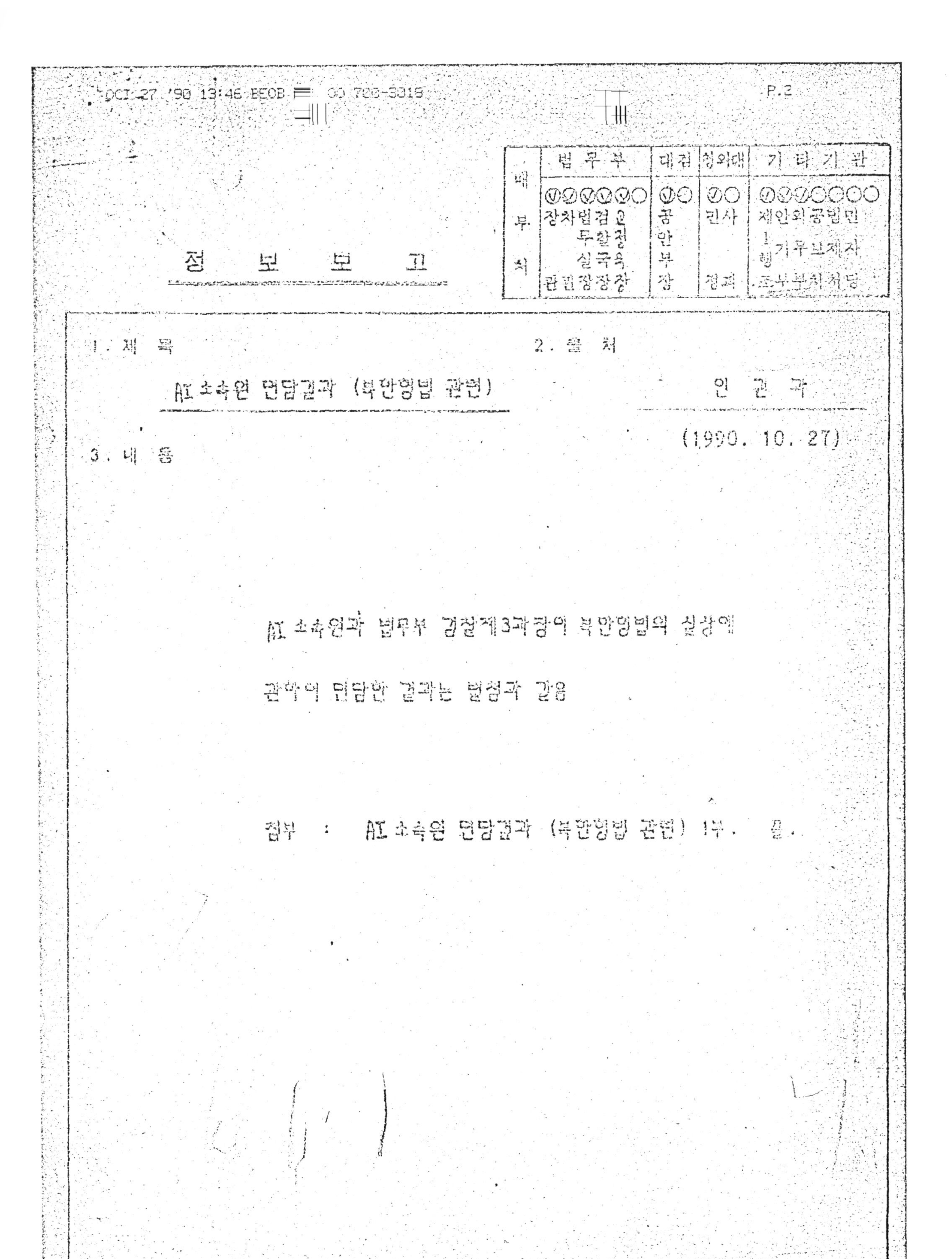

OCT 27 '90 13:46 BEOB 00 700-3018 P.2

배부처	법무부	대검	청와대	기타기관
	ⓥⓥⓥⓥⓥ○	ⓥ○	ⓥ○	ⓥⓥⓥ○○○○
	장관 차관 법무실장 검찰국장 교정국장	공안부장	민사 정책	제1조정 안기부 외무부 공보처 법제처 민자당

정 보 보 고

1. 제 목

AI 소속원 면담결과 (북안보법 관련)

2. 출 처

인 권 과

(1990. 10. 27)

3. 내 용

AI 소속원과 법무부 검찰제3과장이 북안보법의 실상에

관하여 면담한 결과는 별첨과 같음

첨부 : AI 소속원 면담결과 (북안보법 관련) 1부. 끝.

0305

AI 소속원 면담결과 (북한방법 관련)

1990. 10. 27

법 무 부

0306

1. 일시, 장소

- 1990. 10. 26. 15:00 - 16:00
- 반포 가야성 대화실

2. 참석자

- 국제사면위원회 대표 : 호프만, 반데일
- 검찰 3과장
- 임채진 검사
- 통역 : 외무부 서기관

3. 면담내용 : 별첨

4. 참고사항

- 법무실장 주재하에 면담 및 오찬이 끝난 후 1시간가량 면담하였음
- 검찰3과장 주재하에 주로 북한형사법제에 대한 질문과 답변이 오갔으며, 법무부측의 답변에 대단히 만족한 표정이었음.

0307

[면 담 내 용]

오프단 : 북한의 형사법제와 그 운용실상에 대한 자료를 얻고 싶고, 그 자세한 내용에 대해 알고 싶다.

임검사 : 북한이 워낙 폐쇄적인 사회이기 때문에 엠네스티에서도 북한의 형사법제나 그 운용 및 인권실상에 대한 접근이 용이하지 않은 것으로 알고 있다.

1950.3.3. 제정된 북한 구형법에 대해서는 국내.외의 연구서가 많이 있으나, 1974.12.19. 새로 제정된 북한 신형법에 대해서는 아직까지도 북한이 그 내용을 외부에 공개하지 않고 있기 때문에 그 자세한 내용을 알기 어려운 실정이었다.

최근 법무부에서 북한 신형법에 대한 연구서를 발간한 것이 있는데 그것이 엠네스티에서 알고자 하는 내용을 어느정도 충족시켜 줄 수 있을 것이다. 참고해 주기 바란다 (북한 신형법에 대한 법무부 발간책자 2권 전달)

다만 북한의 형사법제 전체를 다 설명하려면 많은 시간이 소요될 것이니 특별히 알고자 하는 점을 질문해 주면 알고 있는 범위내에서 설명해 주겠다.

0308

검찰3과장 : 북한 신형법에 대한 영문번역작업이 끝나지 않았기 때문에 영문책자를 전달해 줄 수 없어 유감스럽게 생각하나, 조만간 그 내용을 요약한 영문책자가 발간될 것으로 알고 있고, 그것이 발간된다면 엠네스티에도 보내 주도록 하겠다.

호프만 : 자료를 주어 감사하게 생각하며, 이 책자가 우리에게 많은 도움이 될 것으로 생각한다. 빠른 시일내에 영문판으로 된 책이 발간되기를 희망하고 그 책이 나오면 우리에게도 보내 주기를 희망한다.

시간관계로 몇 가지만 질문하겠는데, 북한에서는 영장제도나 변호사제도가 있는가, 그리고 피의자가 구속되는 경우 판사에게 바로 인계되어 그 구속의 당부를 심사받도록 되어 있는가

임검사 : 북한에서는 판사가 발부하는 구속영장에 의한 인신구속제도가 확립되어 있지 않다. 수사기관이 피의자를 체포하면 검사의 지휘를 받아 검사 또는 예심원에게 피의자를 넘기거나 석방하여야 하는데, 구속여부 (북한에서는 구류라 한다)는 원칙적으로 예심원이 결정한다. 여기서 말하는 예심원도 검사의 지휘를 받는 수사기관의 일종이기 때문에 판사가 발부하는 구속영장에 의해 인신구속이 집행되는 것은 아닌 것이다.

0309

구속된 자가 이의를 한다하더라도 바로 판사앞에 인계되어
그 구속의 당부를 심사하는 제도는 북한에 없다
그리고 북한에도 변호사제도가 있기는 하나, 그들 변호사는
자유민주주의 국가에 있어서의 변호사와는 달리 조선노동당의
노선과 정책을 옹호관철하는 것을 기본사명으로 하고 있기
때문에, 피고인의 권익을 옹호하는 변론을 하는데 중점이
있는 것이 아니라 형사재판에서 어떻게 하면 당의 정책과
노선이 관철될 수 있도록 하느냐에 중점을 두게 된다.
그래서 피고인이 아무리 범죄사실을 부인하는 경우에도 변호사
가 보아 유죄라고 생각하는 경우에는 피고인에게 자백을 요구
하고 자신의 죄과를 진술하도록 도와주는 것이 변호사의
올바른 임무라고 생각되고 있다.
따라서 북한의 형사소송절차는 피의자나 피고인의 인권옹호
에 대단히 취약한 것이라고 생각된다.

호프만 : 재판은 공개되는가

임검사 : 북한헌법상으로는 특별한 규정이 없는한 재판을 공개하도록
규정되어 있다. 그러나 사실상 재판의 공개가 어느 정도
이루어지고 있는지에 대하여는 대단히 의문스럽다.
예컨대, 북한의 부수상겸 외무상이었던 박헌영이 미국에
대한 간첩 혐의로 1953년도에 체포되어 1955년도에 사형

0310

선고를 받았는 데, 그 재판은 완전히 비공개리에 진행되었고, 재판이 끝난 며칠 후에야 그런 사실이 비로소 외부에 알려진 적이 있음을 보아도 알 수 있다.

반대알 : 판사는 어떤 자격을 갖추어야 하는가

검찰3과장 : 자유민주주의 국가에서는 일반적으로 일정한 자격시험을 통과한 자에게만 판사, 검사, 변호사가 될 수 있는 자격을 부여하고 있으나, 북한에서는 그런 제도가 갖추어져 있지 않다. 철저한 공산주의사상과 당성을 갖춘 자로서 일정한 연령에 도달하기만 하면 판사의 자격이 있으며, 판사는 인민회의에서 선출된다.

임검사 : 중앙재판소의 판사는 최고인민회의 상설회에서, 그리고 그외 인민재판소 등의 판사는 지방인민회의에서 선거를 통해 임명되고, 인민회의에서는 판사들을 소환할 수 있게 되어있다. 따라서 판사들은 최고인민회의,지방인민회의에 책임을 지도록 되어 있는 것이다.
그리고 재판을 잘못한 판사는 부당재판죄로 처벌받도록 되어 있기 때문에, 사법부의 독립, 재판의 독립, 법관인사의 독립등은 전혀 보장되지 못하고 있다.

0311

OCT 27 '90 13:54 BEOB ═══00 700-3018 P.9

반대열 : 북한의 형벌중 가장 높은 형은 무엇인가

임검사 : 사형 및 전재산몰수가 가장 중한 형이다. 전통적인 공산주의 이론에 의하면 사형제도는 임시적인 것이라 하지만 북한 형법에 그런 사상은 반영되어 있지 않다.
그리고 북한의 형법은 범죄를 크게 반혁명범죄와 일반범죄로 대별하고 있는데, 반혁명범죄에 관한 16개의 조문에는 대부분 사형 및 전재산몰수가 법정형으로 규정되어 있어 반혁명범죄를 대단히 가혹하게 다루고 있는 반면에, 일반범죄에 대하여는 사형을 법정형으로 규정하기도 하지만 반혁명범죄보다는 가볍게 취급하고 있다. 따라서 그들 형법은 개인적 법익을 경시하고 국가적법익을 대단히 중시하고 있음을 알 수 있다.

호프만 : 반혁명범죄에는 어떤 것이 있는가

임검사 : 국가주권전복음모죄, 테러죄, 간첩죄, 반동선전선동죄, 조국반역죄, 민족반역죄, 반혁명적 파괴죄, 암해죄, 태업죄, 사회주의국가반대죄, 민족해방운동탄압죄, 불신고죄, 방임죄 등등이 있다.

0312

검찰3과장 : 그중 반동선전선동죄는 김일성이나 조선노동당의 정책과 노선을 비방하는 모든 행위를 처벌하는 범죄이고, 조국반역죄는 우리 대한민국으로 넘어오는 자 등 적의 편으로 도주하거나 적을 돕는 등 조국과 인민을 배반하는 행위를 사형 및 전재산 몰수에 처하도록 규정하고 있다. (그외에 반혁명범죄에 관한 조문을 개별적으로 설명하면서 구체적인 예를 적시하였음)

임검사 : 6.25전쟁에 미군이 참전하였기 때문에 북한은 미국을 가장 중요한 적의 하나로 보고 있다. 따라서 북한 주민이 미국으로 가거나 미국의 입장을 옳다고 하거나, 미국과 대한민국 정부의 우호선린관계를 옹호하는 어떠한 말이나 행동도 조국반역죄, 민족반역죄, 반동선전선동죄 등에 의하여 처벌이 될 수 있고, 심지어 미국인이 미국에서 김일성을 비방하는 말을 하여도 그들의 형법에 의해 처벌할 수 있도록 규정되어 있다.

반데일 : 북한 강제수용소의 실태에 대해 알고 싶다.
그리고 재판을 한 후에 강제수용소로 보내는지 아니면 재판을 하지도 않고 보내는지 알고 싶다

0313

임검사 : 강제수용소의 실태에 대하여는 그들이 자료를 공개하지 않고 있기 때문에 나로서도 잘 알기 어렵다.
다만 그들이 범죄인을 수용하는 곳을 교화소라 하고 있는데, 반혁명범죄 관련자와 일반범죄관련자를 수용하는 교화소 양자를 매우 엄격하게 구분하고 있다는 것은 명확하다.
반혁명범죄 관련자라도 기본계급출신, 즉 프롤레타리아계급 출신자중 교화가능하다고 생각되는 자에 대하여는 사형이 아닌 징역형을 선고할 수도 있는데, 그들이라 하더라도 일반범죄인들을 수용하는 교화소와는 다른 곳에서 수용하고 있다.

오르단 : 다른 곳에서 면담약속이 있기 때문에 더 자세한 내용을 물어볼 시간이 없어 유감스럽다. 앞으로 서면을 통하거나 개별적으로 북한의 형사법제에 대해 질문하는 경우에 협조해 줄 수 있겠는가

검찰3과장 : 언제든지 협조하겠다. 그리고 우리들이 자리를 옮기더라도 법무실 인권과에 문의하면 언제든지 필요한 자료를 협조해 줄 것이라고 생각한다.

0314

임검사 : 북한의 형사법제를 검토함에 있어서 특히 유의해야 할 점을 한가지만 첨부하고자 한다.

최근 우리는 소련과 수교를 맺은 바 있다. 그런데 최근 소련의 개혁과 개방문제는 별론으로 하고, 이제까지 북한이나 소련이 모두 공산주의 사회를 지향해 온 것은 동일하므로 그 법제 또한 유사한 것이 아닌가 생각하기가 쉬울 것이다.

그러나 소련에서는 1953년 스탈린의 사망한 이후 스탈린격하 운동과 함께 형사법제 분야에 있어서도 민주화, 합리화 과정을 거치게 되어 1959년부터 1961년까지의 사이에 광범위한 형사법제 개혁을 단행하였다. 그래서 소위 스탈린형법의 비인권적, 비민주적 요소를 대폭 개정하여 보다 민주화된 형사법을 구비하고 있는 것으로 알고 있다.

그러나 북한의 경우 구형법이 1926년의 스탈린 형법을 모법으로 하여 이를 모방하는데서 출발하였으나, 1974년 개정시에 그 비민주적 요소를 개정한 것이 아니라, 스탈린형법의 기본골격을 그대로 유지하면서, 김일성 개인의 유일지배체제와 조선노동당의 정책, 노선을 옹호 관철해야 한다는 목적, 전 한반도를 주체사상으로 일색화시켜 한반도를 적화통일 시킨다는 목적과 부합하는 방향으로 형법을 개정하였다.

소련에서 폐기된 유추제도가 북한 신형법에 그대로 남아 있고 죄형법정주의를 부인하고 있다는 점이나, 반혁명범죄에 대한 처벌조항이 구형법보다 훨씬 더 무겁게 되어 있는가 하면, 개인적 법익에 관련된 범죄를 경시하는 태도가 그 예라 할 것이다.

0315

따라서 북한형사법제를 검토함에 있어서는 그것이 소련의 형사법제와 유사하다라는 것이나 그 운용실상도 소련과 비슷하리라는 선입견을 갖지 말고 접근함이 마땅하리라고 생각한다.

오르단 : 여러가지 설명에 대하여 대단히 감사하게 생각한다. 앞으로 보다 자세한 내용에 대하여는 서면 등으로 질문할 생각이니 협조해 주기 바란다.

검찰3과장 : 인권문제에 관하여 깊은 관심을 가지고 여러가지로 노력하는 귀 측에 경의를 표한다.
우리나라에서 많은 것을 보고 들었으리라고 생각하지만, 아까 법무실장님께서도 말씀하신 바와 같이 우리 국내 인권상황 발전의 전체적인 흐름에 관하여 유의해 줄 것을 바라며, 특히 보고서를 작성함에 있어서는 정확한 사실에 근거하여 기술해 주기를 바란다.
앞으로 귀 측의 질문이 있을 때 우리들이 적극 알려줄 것을 약속하며, 법무실에서 발간한 우리나라 인권상황에 관한 책자를 드릴 터이니 참고해 주기 바란다.

반대일,오르단 : 귀 측의 성실한 설명에 다시한번 깊이 감사드린다.

0313

전쟁 선포로 인해 특별법 제정을 검토는 하고 있으나

시안을 만든 단계도 아니며 사형제도의 확대여부에 대하여는

결정된 바 없음.

분명히 말해둘 것은 특별법 제정에 있어서 피의자의 인권,

피해자 보호, 사회질서 회복, 범죄수사의 능률 등을 종합적으로

고려하여 충분한 검토를 거친 후에 입법을 할 것이므로 인권

침해의 우려는 없음

서울구치소 재소자 집단소란에 대하여

AI : 지난 8월말의 서울구치소 사건에 대해 정부조사가 진행중이며

재소자의 가혹행위에 관련된 책임자 처리는 어떻게 되고

있는지

실장 : 교정관련 실무책임자인 보안제2과장의 상세한 설명이 있겠음

보안제2과장 : 8.27 서울구치소에 수용중인 소위 공안사범 5명이

원하는 서적이 불허된데 대한 불만으로 소란을 부려

이를 제지, 설득하자 이들은 오히려 교도관으로부터

폭행을 당했다고 허위로 재소자들을 선동, 60여명이

일시에 교무과에 집결하여 창문을 파손하고 격렬한

소란을 피웠음.

0317

FROM 10.27.1990 P. 1

법무부 인권과

1990. 10. 27.

아래 문건을 수신처에게 전달하여 주시기 바랍니다.

제 목 :

수 신 : 외무부 국제연합과

(수신처 FAX NO: [illegible])

발 신 : 법무부 인권과

표지포함 총 [illegible] 매

0318

배부처	법무부	대검	청와대	기타기관
	ⓥⓥⓥⓥⓥ○ 장차법검교 관관장장장 무실	ⓥ○ 공안부장	ⓥ○ 민사	ⓥⓥⓥ○○○○ 재안외공법민 기무보제자 조부부처처당

정 보 보 고

1. 제 목

국제사면위 소속원 법무부관계관 면담결과

2. 출 처

인 권 과

(1990. 10. 27)

3. 내 용

'90. 10. 26 국제사면위 소속원과 당부 법무실장과의

면담결과는 별첨과 같음

첨 부 : 국제사면위 소속원 면담결과 1부. 끝.

0319

국제사면위(AI) 소속원 면담결과

1990. 10. 27

법 무 부

0320

I . 면담개요

o 일 시 : '90. 10. 26(금) 10:00-14:30 (오찬포함)

o 장 소 : 법무실장실

o 면담자 : 법무실장

o 배 석 : 인권과장 이선우, 검찰제3과장 장윤석,
보안제2과장 이순길, 국제법무심의관실 검사 강준규

o 통 역 : 외무부 송영완 사무관

o 기 록 : 인권과 검사 권영석

II. 방 문 자

o 폴 호프만 (Paul Hoffman)

- AI 미국지부 이사, 변호사, 40세

o 프랑소와즈 반데일 (Francoise Vandale) (여)

- AI 본부 한국담당 연구원, 39세
- '84, '85, '87, '88년 방한

III. 면담내용

인 사 말 씀

실장 : 먼저 여러분들의 한국방문을 환영하며, AI 가 그동안 한국의 인권문제에 많은 관심을 표명하여 준 데 대하여 감사드림.

AI 의 활동에 대하여는 연례보고서나 뉴스레터를 통하여 잘 알고 있음.

AI 가 높은 이상을 가지고 세계 각국의 인권문제 개선을 위해 노력을 기울이는데 대하여 경의를 표하며, 이는 특히 국민의 기본적 인권의 옹호.신장을 목표로 하는 우리 제6공화국의 인권정책과도 부합이 되므로 여러분들의 노력을 더욱 평가함.

그러나 각국의 인권문제는 그 국가의 존립과 안전 또는 자유 민주주의체제 수호, 그 국가가 처한 현실 등 제반사정을 종합하여 생각할 문제라고 봄.

제6공화국 출범 이후 우리 정부는 인권신장을 위한 확고한 의지를 가지고 각종 법제도의 개선을 위해 꾸준히 노력해 왔다고 생각하며, 그 구체적 내용은 차차 토의를 통하여 설명하고자 함.

0322

여러분들이 우리나라 인권상황에 대하여 묻고 싶은 부분에 대하여 본인이 알고 있는 한 상세히 설명드리고자 함

AI : 시간을 내어 주신데 대하여 감사드리고 입국후 활동에 있어 제반협조를 해 주셔서 다시 한번 감사하게 생각함.

저희가 한국에 와서 귀국 법제도를 이해하고 인권에 관한 주요 정보를 수집하며, 의문시되는 인권문제에 대해 질문을 하는 등의 활동은 업무에 큰 도움이 되고 있음.

한국정부와 AI간에 그간 인권관계로 가진 일련의 회합에 대하여는 매우 기쁘게 생각함

인권규약 가입문제

AI : 특히 금년 귀국의 인권규약 가입은 인권옹호와 신장을 위한 하나의 큰 중요업적이라고 생각함.

인권규약의 내용 등에 관하여 책자를 발간하여 변호사, 판.검사, 기타 법집행관리 등에 배포할 계획이 있는지

실장 : 지난해 말 국제인권규약 선택의정서에 따른 인권이사회의 주요 결정사례에 관한 책자를 발간하여 조금전에 언급한 관계자 및 학계에까지 배포하였음

0323

3

인권규약의 가입은 인권신장을 위한 국제적 노력에 동참하고 국내적으로도 인권의식을 확산하는 계기로 삼고자 한 것이며, 이러한 자료집 배포 이외에도 인권규약의 내용을 실천하기 위하여 기타 필요한 어떠가지 조치를 취해 나갈 것임.

AI : 인권규약 가입시 몇개 조항을 유보한 것으로 알고 있는데 이를 철회할 예정이 있는지

실장 : 상소권보장 (제14조 5항), 일사부재리 또는 이중처벌금지 (제14조 7항), 결사의 자유 (제22조), 혼인중 및 혼인 해소시의 배우자 평등 (제23조 4항) 등 B규약의 4개 조항을 유보하였음.

(나아가 B규약 유보대상조항의 상세내용을 일부 예를 들어가며 설명함)

상기 4개 조항은 국내법과의 저촉이 명백하므로 유보가 불가피 하며 다른 많은 국가도 자신의 법체계 등과의 관계상 이러 조항을 유보한 것으로 알고 있음. 다만 제23조 4항에 대하여는 개정 민법이 내년 초 시행되는데로 유보를 철회할 예정임

AI : 한국헌법상 비준을 거친 조약은 국내법과 동일한 효력을 가지는 것으로 알고 있음.

인권규약의 규정을 들어서 국내 사법기관에 제소할 수 있는지

실장 : 인권규약 내용에는 그러한 제소절차가 상세히 규정되어 있지 않은 것으로 알고 있음. 이러한 경우에 피해구제를 위하여는 민.형사소송절차 등 국내의 제반 절차법 규정에 의하여 제소할 수 있을 것임

AI : 고문방지협약에는 언제 가입할 예정인지

실장 : 동 협약에의 가입을 전제로 관계부처간에 계속 협의중에 있음. 금년 인권규약에 가입한 후 운용실태를 파악하고 인권보고서 마련을 위한 자료수집 등 실무적 검토작업을 거친 뒤 가입할 예정에 있음. 가급적 빨리 가입한다는 것이 기본입장임

AI : 고문방지협약 가입에 어떤 장애가 있는 것인가

실장 : 큰 장애는 없고, 협약과 국내법 조항간에 저촉되는 문제점은 없는지 등을 실무적으로 검토하고 있음

5

0325

교원노조결성, 제3자개입 금지 등에 관하여

AI : 법규정상 교원노조결성이 금지되고 노동운동에 있어 제3자 개입이 금지된다고 알고 있는데 언제쯤 이러한 규제가 해소되는지

실장 : 우리는 교육자를 근로자로 생각하기보다는 부모와 동등한 수준으로 자녀의 인격적 양성을 맡아줄 사람으로 보고 있기 때문에 근로자에게 허용되는 노동운동이 교원에까지 허용될 경우 아이들에게 미치는 영향, 교육의 순수성 등이 파괴될 것을 우려하여 노조결성을 금지하고 있는 것임

제3자 개입 금지문제도 근로자의 권리를 제한하기 위한 것이 아니고 노동운동이 불순세력에 이용당하는 것을 방지하기 위한 것임.

원만한 노사협상을 위한 제3자의 조언 등은 허용되며, 다만 노동쟁의를 선동, 방해하는 경우에만 금지되는 것임.

지난 2-3년간의 노동운동에 있어서 불순세력이 개입하여 순수한 근로조건 향상을 주장하는 것이 아니라 자본주의, 자유민주주의체제를 부정하고 노동자혁명을 부르짖는 등 과격, 파괴적인 양상으로 변모한 경우가 많은 데서 볼 수 있듯이

0326

6

이는 우리의 현실을 감안한 입법정책이라고 할 것임.

이 부분에 대하여는 헌법재판소에서 이미 합헌결정을 하였음.

국가보안법 관련문제

AI : 국가보안법이 개정될때 인권규약 제19조상의 사상, 표현의 자유 보장이 충분히 반영되기를 바람

실장 : 법운용에 관하여 AI나 많은 인권단체에서 오해가 있는 것으로 생각됨. 단순히 신념, 사상을 갖고 있음을 이유로 처벌되는 사람은 없고, 그 신념 등을 토대로 적극적으로 민주주의체제를 부정, 폭력혁명세력을 지지하거나 군사기밀 탐지를 하는 등 적극적으로 행위에 나아간 사람을 처벌하는 것임을 이해해 주기 바람.

개정작업에 있어서는 남북교류에 지장을 주지 않고 표현의 자유가 침해되지 아니하도록 운용이 가능한 방향으로 추진중에 있음.

또한 헌법재판소에서도 기존 해당조문에 대해 위헌이 아니라는 결정을 내린 바 있음

0327

AI : 국가보안법 개정에 따라 동법 위반자에 대한 형의 감경, 석방조치 등을 고려하고 있는지

실장 : 이 문제는 법이 개정된 이후에 고려될 문제라고 답

AI : 6공화국에서의 국가보안법위반 범법자에 대한 각 조항별 통계를 알려줄 수 있는지

실장 : 현재 그러한 통계자료를 마련하고 있지 않음.
각 조항별 통계를 알 수 없는데, 가능한한 자료를 파악해서 필요하면 알려줄 수도 있다고 생각됨

대범죄전쟁 선포와 관련하여

AI : 범죄와의 전쟁 선포에 관한 내용을 알려주시고 전쟁 선포로 인하여 사형제도가 확대될 우려는 없는지

실장 : 범죄와의 전쟁을 선포하게 된 배경은 여러 원인이 있겠으나 현실적으로 많은 흉악범이 창궐하여 국민의 생명, 신체를 위협하고 있어 정부. 국민이 힘을 합쳐 범죄는 퇴치해야 한다는 공감대 위에서 이루어진 것이라 할 것임.

0328

8

전쟁 선포로 인해 특별법 제정을 검토는 하고 있으나

시안을 만든 단계도 아니며 사형제도의 확대여부에 대하여는

결정된 바 없음.

분명히 말해둘 것은 특별법 제정에 있어서 피의자의 인권,

피해자 보호, 사회시설 회복, 범죄수사의 능률 등을 종합적으로

고려하여 충분한 검토를 거친 후에 입법을 할 것이므로 인권

침해의 우려는 없음

서울구치소 재소자 집단소란에 대하여

AI : 지난 8월말의 서울구치소 사건에 대해 정부조사가 진행중이며
재소자의 가혹행위에 관련된 책임자 처리는 어떻게 되고
있는지

실장 : 교정관련 실무책임자인 보안제2과장의 상세한 설명이 있겠음

보안제2과장 : 8.27 서울구치소에 수용중인 소위 공안사범 3명이
원하는 서적이 불허된데 대한 불만으로 소란을 부려
이를 제지, 설득하자 이들은 오히려 교도관으로부터
폭행을 당했다고 허위로 재소자들을 선동, 60여명이
임의로 고무과에 집결하여 창문을 파손하고 극렬한
소란을 피웠음.

9

0329

교도관들의 설득, 자제에도 불구하고 시설 등을 파손하고 직원들에게 각목을 휘둘러 교도관 8명이 부상을 입는 등 극렬한 소란으로 물리적 제지가 불가피하였던 것임.
따라서 직원들의 재소자에 대한 가혹행위는 일체 없었으나 재소자 가족이 교도관 등을 고발하여 현재 서울지검에서 수사중에 있음

AI : 사건발생 이후인 8.28, 29에도 난동부린 수감자들이 교도관들로부터 재차 폭행을 당하였다는데 사실인가

보안제2과장 : 이들은 제지된 후에도 소란을 계속하므로 8.28, 20여명에 대하여 규정에 따라 일시 시승시갑하여 제지한 사실은 있으나 폭행을 가한 사실은 없으며 29일에는 이들을 시승시갑한 사실이 없음

실장 : 이들이 원하는 서적은 좌경서적인데, 규정에 따라 서적내용이 교화에 지장을 주고 국시에 위반되는 것이면 열독이 금지되고 있음. 소위 공안사범들이 그들의 불만, 주장을 들어주지 않는다는 이유에서 불법적으로 폭력을 행사한 것을 두고 어느 한쪽의 주장만 듣고 사안을 판단하는 것은 곤란함.
재소자 본인의 안전과 소내 질서유지, 시설파괴 방지 등을 위해 행형규칙에 따라 취한 조치였음

10

0330

가혹행위에 대한 조사, 시정절차

AI : 고문, 가혹행위에 관한 보고에 대해 어떠한 조사, 시정절차가 있는지. 안기부, 보안사의 가혹행위 등에 대하여는 어떻게 처리하고 있는가

실장 : 고문 등 부당처우가 있으면 의당 조사하여야 할 것임.

법무부 또는 검찰에 고발, 탄원 등으로 고문주장이 접수되면 지검에서 철저히 조사, 진상을 규명하고 있어 의혹의 여지가 없다고 봄.

보안사에 대하여는 국방부의 군 검찰부 등에서 마찬가지로 철저히 조사, 진상을 규명하고 있음.

이것과 관련하여 안기부, 보안사에 대하여도 수사과정에서 인권보장에 소홀함이 없도록 자체교육을 철저히 실시하고 있음.

이와 같이 전체적으로 인권침해사례가 없도록 한다는데 전 수사관련기관이 대단한 의지를 가지고 노력하고 있음.

인권신장을 위한 정부의 노력

실장 : 지금까지 여러분들의 질문에 대해 답변드렸는데, 이 기회를 빌어 그간 인권신장을 위한 정부의 확고한 의지와 그 실천 노력에 대하여 몇가지 말씀드리겠음.

제6공화국은 출범이후 민주화, 자율화 정책을 과감히 추진하여 나가면서 특히 인권의 완벽한 보장에 주력하고 있으며, 이러한 의지하에 형사사법절차와 관련한 각종 제도를 개선하였음. 즉 종래 국가보안법 위반사건 및 감사인지사건 등을 구속적부심청구대상에서 제외한다는 규정을 삭제하여 모든 범죄에 대해 구속적부심청구를 할 수 있게 하는 등 형사소송법의 많은 규정을 개정하였고, 형사보상법을 개정하여 무죄판결을 받은 사람 뿐만 아니라 불기소처분된 구속피의자의 형사보상청구권을 인정하였으며, 사회안전법을 발전적으로 폐지하고 보안관찰법을 제정하였고, 사회보호법을 개정하여 필요적 보호감호제도를 삭제하고 법률구조와 범죄피해자에 대한 국가구조제도 신설 등 법률복지를 확충하였음.

아울러 헌법재판소를 신설, 기본권을 침해받은 국민이 헌법소원 심판을 청구할 수 있게 되어 국민의 기본권을 뒷받침함에 있어 중요한 역할을 수행하고 있음

0332

AI : 이번에 보안사의 사찰대상자들도 국가를 상대로 손해배상청구를 한다고 들었는데, 이들도 범죄피해자구조법에 의하여 구조되는가.

실장 : 범죄피해자구조법은 살인, 강도상해 등 강력사건 가해자의 소재불명 또는 무자력으로 피해자가 배상받지 못하고 생계유지가 곤란한 경우 국가가 범죄피해자를 구조하여 주는 특별법이고, 사찰대상자들의 국가를 상대로 한 손해배상청구는 만일 공무원의 불법행위가 있으면 국가가 손해배상책임을 지는 국가배상법에 따른 일반절차로서 이들은 서로 다른 제도임.

법과 질서의 확립

AI : 법질서 확립을 위하여 일차적으로 책임을 맡고 있는 기관은 어디인가.

실장 : 민주주의는 법과 질서가 지켜지는 토양위에서만 꽃피울 수 있다는 것은 역사의 진리라고 할 것임.
그런데 앞서 말씀드렸듯이 제6공화국 출범 이후의 급속한 민주화 과정에서 사회 각 분야의 다양한 욕구가 한꺼번에 터져

나옴으로써 집단적인 힘이나 폭력으로 문제를 해결하려는 사람들이 많아지고 더 나아가 민주화를 악용한 각종 사회질서 침해현상이 두드러져서 정부입장에서는 범죄로부터의 국민의 생명과 재산의 보호라는 제1차적 책무를 완수하고, 선진 법치사회의 기틀을 마련하기 위한 법질서 확립 노력을 경주하고 있음.

법질서 확립은 정부의 어느 한 부서만의 노력으로 되는 것이 아니고, 내무.법무 등 정부 각 부처가 각각의 입장에서 최선의 노력을 해야 하며, 국민도 민주시대의 주인공으로서 자발적으로 새질서: 새생활운동 등을 전개하는 등 범국가적인 노력이 필요함.

보안사 사찰문제에 대하여

AI : 보안사 사찰사건에 대하여 현재 어떻게 처리되고 있는지

실장 : 국방부에서 면밀한 점검 및 보완대책을 검토하고 있고, 국회에서도 심의하고 있으므로 좋은 방안이 마련된 것임.

AI : 정부나 공공기관, 민간기업에서 개인의 정보를 수집한 경우에 개인은 그 정보내용의 열람을 요청할 수 있는지

0334

14

실장 : 정보화 시대에 맞추어서 정보수집 및 그 관리문제에 대하여서 법률제정을 연구하고 있는 것으로 알고 있음.

그리고 이는 국민의 알 권리와 관계되는 것으로서 우리 헌법은 국민의 알 권리를 보장하고 있으며, 우리 헌법재판소에서 근래 나온 결정을 소개하면 특정 부동산에 대한 관련대장의 열람, 복사신청이 있었음에도 이에 불응한 부작위는 국민의 알 권리를 침해한 것이므로 위헌이라고 결정한 바 있음.

국민의 알 권리는 국가이익과 서로 충돌되는 경우도 있을 것이므로 이를 비교교량하여 결정될 문제라고 봄

답 부 말 씀

실장 : 끝으로 한번 더 강조하고 싶은 것은 아까도 말했지만 정부는 인권신장을 위한 확고한 의지를 가지고 그동안 많은 노력을 하고 있으나, 급속한 민주화. 자율화 과정에서 터져나온 다양한 요구와 이를 관철하기 위한 불법. 폭력의 대두, 민주화에 편승한 자유민주주의체제 파괴책동 등으로부터 국민의 생명과 안전을 보호하고 자유민주주의체제를 지키기 위한 엄정한 법집행에 대하여 이를 인권의 후퇴나 탄압이라고 보는 것은 사실을 올바로 보지 못한 것임.

특히 AI 작성 보고서중 객관성이 결여되었다고 생각되는 부분들중 오늘은 시간이 없으므로 한가지만 말씀하고자 함.

AI보고서 내용중 국가보안법 제7조 (찬양, 고무)가 북한의 미군철수요구 기사를 게재한 대학신문사 편집인들을 구속하는 구실로 이용되고 있다고 기술한 부분이 있음.

그러나 대학신문 기사의 내용은 '대한민국은 미국의 신식민지이고, 현 정부는 친미매국세력. 반민주. 반민중 세력이며, 분단을 통해 이익을 얻고 있어 분단의 고착화를 바라고 있으므로

0336

이러한 모순을 해결하기 위하여 노동자, 농민, 학생이 일치단결하여 미국과 군부독재를 타도해야 한다'는 등으로 계급혁명, 폭력혁명을 통해 국가전복을 기도하는 것이기 때문에 이를 문제삼은 것임에도 불구하고 단순히 미군철수 주장을 한 기사를 게재한 것에 대해 국가보안법을 적용한 것으로 기술하여 우리 수사기관과 사법기관의 법적용을 왜곡하고 있음.

그밖에 이와 유사한 불공정하거나 왜곡된 내용이 많이 있으므로 이러한 점은 추후 서면으로 송부하겠음.

AI가 우리나라는 물론 세계 각국의 인권상황이 건전한 방향으로 발전하는데 기여할 수 있도록 공정한 조사활동 등 노력을 경주해 주기 바람

AI : 많은 시간을 할애하여 질문에 대답해 주신 것을 감사드림. 시간관계상 묻지 못한 몇가지 세세한 사항은 추후 외무부를 통해 서면질문을 하겠음

관리 번호	90-1884

	분류번호	보존기간

발 신 전 보

번 호 : WUK-1779 901029 1734 CG 종별 :

수 신 : 주 영국 대사 . ~~총영사~~

발 신 : 장 관 (국연)

제 목 : A.I. 대표단 방한

대 : UKW-1862, 1914

1. A.I.대표단 Mr. Hoffman (10.21-29. 체한), Ms. Vandale(10.11-29. 체한)의 방한중 정부측 주선일정 및 주요 언급사항 하기와 같음.

가. 외무부 유엔과장 면담 (2회)

o 일 시 : 10.21(금) 및 10.22(월)

o 주요언급사항 : 아래 면담주선 요청 (본부 조치내용)

- 북한으로부터의 안보위협의 양상과 그러한 위협이 표현 및 결사의 자유 그리고 북한인들과의 사적 접촉에 미치는 영향을 설명해 줄 수 있는 군 또는 관계 정부인사 (법무부 법무실장 면담시 설명)
- 북한관계 전문가 (안기부 북한담당관 면담주선)
- 인권문제를 담당하고 있는 여당의원 (오유방의원 면담주선)
- 법원에서 인권문제를 다루고 있는 판사 또는 관련인사 (법원측 면담 불가 통보로 미실현)
- 최근 동구권 국가를 경유 월남한 북한학생 2명 (면담주선)
- 북한 형법 전문가(법무부 북한형법 전문가 면담주선)

/ 계속 /

앙 고 재	90년 10월 29일	유엔과	기안자	과 장	국 장	제1차관보	차 관	장 관
			송영완	(서명)	(서명)	대결		(서명)

보안통제	외신과통제
(서명)	

0338

나. 민정당 오유방 의원 면담

ㅇ 일　　　시 : 10.23(화)

ㅇ 주요언급사항 : 보안법 개정문제, 국내인권상황, 보안사 사찰문제등

다. 북한 귀순학생 (박철진, 전철우) 및 북한 전문가 면담

ㅇ 일　　　시 : 10.25(목)

ㅇ 주요언급사항 : 북한의 인권상황, 주민생활, 북한의 정치범 수용소 현황, 북한의 재판제도, 해외유학생에 대한 통제 현황등

ㅇ 비　고 : 북한전문가(안기부 직원)는 본인 희망에 따라 북한문제 연구소 연구관으로 소개

라. 법무부 법무실장 면담

ㅇ 일　　　시 : 10.26(금)

ㅇ 주요언급사항 : 인권규약에 대한 아국의 유보 철폐문제, 고문방지협약 가입일정, 전교조 활동, 보안법 개정문제, 재소자 인권침해 사례, 범죄와의 전쟁 선포후 인권상황 악화 가능성 여부등

ㅇ 비　고 : 법무실장 면담에 이어 북한 형법전문 검사의 북한형법 개요에 대한 설명이 있었음.

2. 상기 A.I. 대표단과의 면담 요록 및 법무부 작성 면담자료 각 1부를 금파편 송부 예정임.　　끝.

(차관 대리　이정빈)

1991. 6. 30. 에 예고문에 의거 일반문서로 재분류됨

0339

A.I. 대표단 방한활동 개요

(정부측 면담주선 일정)

90. 10. 29.
국제연합과

1. A.I. 대표단 명단

o Mr. Paul Hoffman A.I. 미 남가주지역 이사(10.21-29. 체한)
(전 A.I. 미주지부장)

o Ms. Francoise Vandale A.I. 한국담당관(10.11-29. 체한)

2. 면담 주선일정

가. 외무부 유엔과장 면담 (2회)

o 일시 : 90.10.12(금) 15:00-16:15 및 10.22(월) 17:00-17:30

o 장소 : 외무부 유엔과

나. 민정당 오유방의원 면담

o 일시 : 90.10.23(화) 15:15-16:40

o 장소 : 의원회관 오의원 사무실

다. 북한 귀순학생 (박철진, 전철우) 및 북한전문가 면담

o 일시 : 90.10.25(목) 10:00-14:25

o 장소 : 명동 매트로호텔 9층 회의실

라. 법무부 법무실장 면담

o 일시 : 90.10.26(금) 10:00-15:30

o 장소 : 법무부 법무실장실

0340

A.I.측 요청사항 조치내용

90. 10. 20.
국제연합과

요 청 사 항	조 치 내 용
1. 국내 인권관련 단체 및 대표자 명단 (연락처 포함)	1. 법무부에 등록된 인권단체(5개)중 국제인권옹호 한국연맹담당자와 면담이 주선되어 있고 미등록 인권단체 명단은 제공이 불가함에 따라 별도 명단제공은 않을 방침.
2. 연락처 확인 또는 면담주선 요망사항	2.
가. 북한으로 부터의 안보위협 상황이 표현 및 결사의 자유 및 북한인들과의 사적 접촉에 미치는 영향을 설명해 줄 수 있는 인사	가. 법무부 법무실장 면담시 (10.26. 10:00-12:00) 설명 예정
나. 북한관계 전문가 및 최근 동구권을 경유 월남한 북한학생 2명 면담	나. 안기부측에서 일정 주선, 당부 회의실에서 10.25. 10:00-12:00 면담예정 ✓
다. 인권문제 및 보안법 개정 문제를 담당하고 있는 여당의원 면담	다. 국회법사위 오유방 의원 면담 주선 (10.23. 15:00-16:00 의원회관 720호)
라. 법원에서 인권문제를 다루는 판사 또는 관련인사	라. 법원 행정처에 면담주선토록 공문 발송함. (10.17)
마. 북한 형법 전문가	마. 법무부 법무실장 면담시 설명예정
3. 최근 출판된 북한형법 책자 증정 가능 여부	3. 법무부에서 한글판 증정 예정. 영문 요약본은 공보처에서 작업이 완료되는 즉시 주영대사관 경유 추송 예정

0341

관리번호 90-1911

기 안 용 지

분류기호 문서번호	국연 2031-7617	(전화 :)	시행상 특별취급	
보존기간	영구·준영구. 10. 5. 3. 1.	장 관		
수 신 처 보존기간				
시행일자	1990. 10. 30.			

보조기관		협조기관		문서통제
국 장	전 결			1990.10.31 심 사 관
과 장				
기안책임자	송영완			발 송 인

경유 수신 참조	주영국 대사	발신명의		1990 10 31 외무부
제 목	A.I. 대표단 방한			

연 : WUK-1779

대 : UKW-1914, 1862, 영국(정) 723-80

1. 연호, A.I. 대표단 방한기간중 접촉한 정부 및 민자당등 관계인사와의 면담요록과 법무부 작성 면담자료를 별첨 송부하오니 업무에 참고하시기 바랍니다.

2. 법무부 법무실장과의 면담시 「법과 질서 그리고 인권」 「북한의 형법」 등 책자(한글판)를 전달하고 동 책자의 개요에 대한

/ 계속 /

1505-25(2-1) 일(1)갑
85. 9. 9. 승인

190mm×268mm 인쇄용지 2급 60g/㎡
가 40-41 1986. 7. 4.

0342

영문판 발간시 (공보처에서 번역중) 귀관 경유 송부키로 하였음을

알려드립니다.

첨 부 : 1. 면담요록 5부.

2. A.I. 대표단 면담 토의 희망사항 1부 (법무부 작성)

3. 법무부 면담자료 4부. 끝.

1991. 6. 30 에 예고문에
의거 일반문서로 재분류됨

관리 번호 90-1912

기 안 용 지

분류기호 문서번호	국연 2031-2696 (전화 :)	시행상 특별취급	
보존기간	영구·준영구. 10. 5. 3. 1.	장 관	
수신처 보존기간			
시행일자	1990. 10. 30.		

보조기관	국 장	전 결	협조기관	문서통제
	과 장			
기안책임자	송영완			발송인

경유 수신 참조	수신처 참조	발신명의	
제 목	A.I. 대표단 방한		

1. 국제사면위(Amnesty International)는 아국의 인권상황 조사 및 인권관련 정부.법조계.정계 인사와의 면담을 위하여 Mr. Paul Hoffman (전 미주지역 A.I. 지부장)을 90.10.21-29간, Ms. Franoise Vandale (A.I. 본부 한국담당관)을 90.10.11-29간 각각 파한하였습니다.

2. 정부는 A.I. 대표단 방한을 계기로 아국의 인권상황에 대한 공정하고 객관적인 인식을 함양케 하기 위해 정부 및 국회관련 인사와의 면담을 주선하는 한편, (A.I.측 요청에 따라) 북한의 인권상황을 ~~소개~~ 설명하기 위하여 북한문제 전문가 및 북한의 귀순학생 2명과의 면담도 주선한 바 있습니다. /계속/

1505-25(2-1) 일(1)갑
85. 9. 9. 승인

190mm×268mm 인쇄용지 2급 60g/m²
가 40-41 1986. 7. 4.

0344

3. A.I. 대표단 방한관련, 정부주선 각계 인사 면담시 면담

자료 및 면담요록을 별첨 송부하오니 귀업무에 참고하시기 바랍니다.

첨 부 : 1. 면담요록 5부

2. 면담자료 5부. 끝.

수신처 : 주유엔, 재내바 대사 (면담자료 및 면담요록)

주미, 불, 독, 유내스코 대사, 주라성 총영사 (면담요록)

1991.6.30. 에 예고문에 의거 일반문서로 재분류됨

1505-25(2-2) 일(1)을 "내가아낀 종이 한장 늘어나는 나라살림" 190mm×268mm 인쇄용지 2급 60g/㎡
85. 9. 9. 승인 가 40-41 1988. 9. 23

0345

관리번호 90-1889

분류기호 문서번호	국연 2031-1889	협조문용지 ( )	결재	담당	과장	국장
시행일자	1990. 10. 31.					
수 신	미주국장, 구주국장	발 신	국제기구조약국장 (서명)			
제 목	A.I. 대표단 방한					

1. 국제사면위(Amnesty International)는 아국의 인권상황 조사 및 인권관련 정부.법조계.정계 인사와의 면담을 위하여 Mr. Paul Hoffman (전 미주지역 A.I. 지부장)을 90.10.21-29간, Ms. Franoise Vandale (A.I. 본부 한국담당관)을 90.10.11-29간 각각 파한하였습니다.

2. 정부는 A.I. 대표단 방한을 계기로 아국의 인권상황에 대한 공정하고 객관적인 인식을 함양케 하기 위해 정부 및 국회관련 인사와의 면담을 주선하는 한편, A.I.측 요청에 따라 북한의 인권상황을 설명하기 위하여 북한문제 전문가 및 북한의 귀순학생 2명과의 면담도 주선한 바 있습니다.

3. A.I. 대표단 방한관련, 정부주선 각계 인사 면담시 면담요록을 별첨 송부하오니 귀업무에 참고하시기 바랍니다.

1991.6.30 에 예고문에 의거 일반문서로 재분류됨

첨 부 : 면담요록 5부. 끝.

1505-8일(1) 190㎜×268㎜(인쇄용지 2급 60g/㎡)
85. 9. 9 승인 "내가아낀 종이 한장 늘어나는 나라살림" 가 40-41 1990. 1. 24

0346

관리 번호	90-1939

	분류번호	보존기간

발 신 전 보

번 호 : WUK-1841 901112 1656 DN 종별 :

수 신 : 주 영 대사 ~~총영사~~

발 신 : 장 관 (국연)

제 목 : A.I. 인권보고서

법무부는 A.I. 대표단 방한 결과에 대한 A.I.측 반응 및 명년도 A.I.의 아국 인권보고서(연례 또는 특별보고서) 작성 계획을 파악하여 줄 것을 요청하여 온바, 가급적 동건 파악후 보고바람. 끝.

(국제기구조약국장 문동석)

1991.6.30. 에 예고문에 의거 일반문서로 재분류됨

앙고재	90년 11월 12일	과	기안자		과 장		국 장		차 관	장 관
							전결			

보안통제	외신과통제

0347

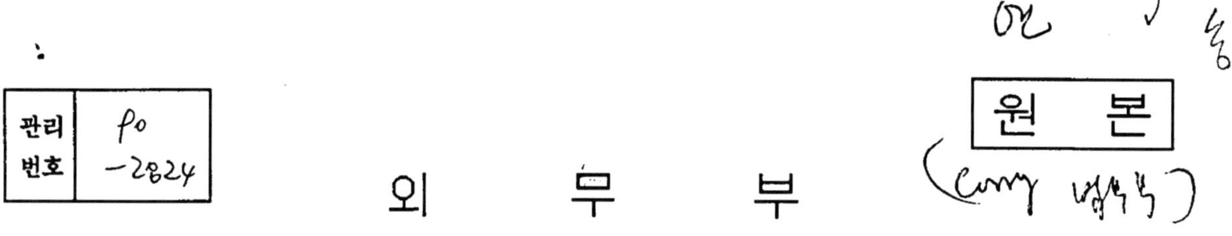

외 무 부

종 별 :

번 호 : UKW-2259 일 시 : 90 1130 1950

수 신 : 장관(국연,구일)

발 신 : 주 영 대사

제 목 : A.I.대표단 방한반응

대: WUK-1841

연: UKW-2132

11.30(금) 당관 황서기관은 국제사면위(A.I)의 F.VANDALE 한국담당연구원과면담, 동인의 방한소감 등을 청취한바 요지 아래 보고함.(신임 아. 태 지역과장 MR.DEREX EVANS 동석)

1. 인권문제 인식심화

-정부내 인권문제 전담요원 존재등, 인권문제에 대한 관심고조뿐 아니라 전문지식 축적뚜렷

-정부와 A.I. 간 의견은 상이해도, 대화진행에는 장애없음.(과거와는 달리 WE WSE THE SAME LANGUAGE)

-일반 국민들의 인권문제 보는 시각도 현저히 향상

2. 수사기관 접촉불가

-경찰 및 관련 보안기관과의 접촉이 불가했던 점에 유감

-수상상의 인권침해 사례 상존인상

3. 인권관계 이익단체 확산

-각종 노조결성등 압력단체 또는 이익단체의 양적팽창 (불법단체인 전교조도 사무실 운영)

-기본적 권리수호에 대한 의지강렬

-전반적인 인권신장을 위해 바람직한 현상

4. 정치범 구속자 증가

-상기 이익단체 증가와 더불어 구속된 정치범수도 증가

-이들에 대한 공정하고도 신속한 재판촉구

국기국 차관 1차보 2차보 구주국 정문국 청와대 안기부

PAGE 1 90.12.01 07:18

외신 2과 통제관 BW

0348

(EVANS 과장은 A.I. 가 정의하고 있는 정치범(POLITICAL PRISONER) 개념은 양심수(PRISONER OF CONSCIENCE)와는 달리, 정치적 동기만 있으면 폭력행사등 명백한 형법위반인 경우도 포함한다고 설명한 바, 황서기관은 정치범이란 용어가 주는 이미지가 상황을 적절히 표현치 못함을 지적)

5. 양심수 선정작업 계속

-방한중 수집한 자료등을 기초로 양심수 선정작업 계속

-동 과정에서 정부와도 접촉, 편향없도록 노력

-양심수에 대해서는 즉각석방 촉구

6. 인권문제의 양태변화

-전반적인 인권상황 개선이라기 보다 구체적인 문제점의 양태변화

(예: 무영장 구속기간의 단축경향, 구금자확대 정도경감, 반면 불온서적 금지등 측면에서도 보다 강경)

-상기 1 항등에 비추어 향후 긍정적 발전기대

7. 정부와의 협조관계

-주요사안에 대해 A.I. 가 결론내기에 앞서 아국정부의 의견청취 필요성 인정

-협조관계 지속희망

-하기 자료 또는 정보제공 협조요청(방한시 이미 약속받은 사항을 상기시킨다고함)

.6 공화국의 출범후 국가보안법 적용하의 구속자 및 형사소추에 관한 통계자료(가능하면 각조항별)

. 시민적 및 정치적 권리에 관한 국제규약에의 아국가입 문서사본

. 아국정부가 A.I. 와 의견을 달리하는 사안 설명문

. 대범죄 전쟁선포 관련 법제정 또는 개정내용

.A.I. 가 기 관심표명한 14 건의 개별사안 (영국(정) 723-80, 1990.10.9. 자 공문참조)에 대한 설명자료

8. 명년도 인권보고서

-집필 시작전이므로 내용추측 곤란(당관과의 사전협의를 요망해옴)

-91.6-7 월경 출판예상. 끝

(대사 오재희-국장)

예고: 91.6.30 일반

1991.6.30 에 예고문에 의거 일반문서로 재분류됨

관리번호 90-2837

분류기호 문서번호	국연 2031-2924	기 안 용 지 (전화 :)	시 행 상 특별취급	
보존기간	영구·준영구. 10. 5. 3. 1.	장 관		
수 신 처 보존기간				
시행일자	1990. 12. 4.			
보조기관 국 장	전 결	협조기관		문 서 통 제
과 장				검열 1990.12.06
기안책임자	송영완			발 송 인 1990.12.05
경 유 수 신 참 조	법무부장관 법무실장	발신명의		
제 목	A.I. 대표단 방한 결과			

주영국 대사는(관 인권담당관은) 90.10월 아국에 대표단을 파견한 바 있는 국제사면위(A.I)의 관계관과 면담하고 A.I. 대표단의 방한 반응을 별첨과 같이 보고하여 온 바, 업무에 참고하시기 바라며 별첨 보고전문 7항과 관련, 하기자료(영문)를 당부로 송부하여 주시기 바랍니다.

- 아 래 -

1. 제6공화국의 출범이후 국가보안법 적용하의 구속자 및 형사소추에 관한 관한 통계자료 (각조항별)

/ 계속 /

1505-25(2-1) 일(1)갑
85. 9. 9. 승인

190mm×268mm 인쇄용지 2급 60g/㎡
가 40-41 1986. 7. 4.

0350

2. 아국정부가 A.I와 의견을 달리하는 사안에 대한 설명문

3. 대법죄 전쟁선포 관련, 법제정 또는 개정내용

첨 부 : 전문사본 1부. 끝.

1991.6.30에 예고문에 의거 일반문서로 재분류됨

1505-25(2-2) 일(1)을
85. 9. 9. 승인
"내가아낀 종이 한장 늘어나는 나라살림"
190mm×268mm 인쇄용지 2급 60g/m²
가 40-41 1990. 5. 28

0351

관리번호	91-25

법 무 부

인권 2031- 2 503-7045 1991. 1. 7

수신 외무부장관

참조 국제기구조약국장

제목 AI대표단 방한결과에 따른 자료송부

1. 국연 2031-2924 ('90.12.5)와 관련입니다.

2. 귀부에서 요청한 AI대표단 방한결과에 따른 자료를 별첨과 같이 송부합니다.

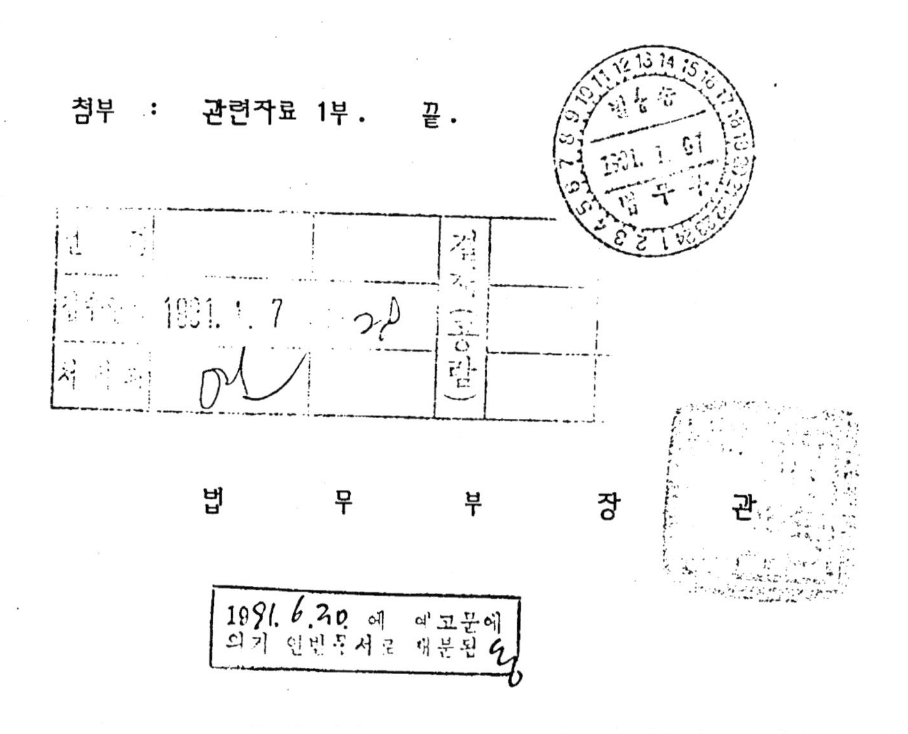

첨부 : 관련자료 1부. 끝.

법 무 부 장 관

1991. 6. 30 에 예고문에 의거 일반문서로 재분류됨

0352

제6공화국 출범이후 국가보안법위반 구속자 수

기 간	구속인원
'88(2.27 - 12.31)	123
'89	429
'90(1.1 - 10.31)	346
계	898

0353

AI 단체의 '90.2 인권보고서와 '90.7 연례인권보고서중
아국정부가 AI와 의견을 달리하는 사안

'90.2 인권보고서중

1. 국가보안법 제7조 (찬양,고무 등)가 북한의 미군철수 요구지지 기사를 게재한 대학신문사 편집인들을 구속하는 구실로 이용되고 있다고 기술

   - 대한민국은 미국의 신식민지이고, 현 정부는 친미매국세력, 반민주. 반민중. 반통일 세력이며, 분단을 통해 오히려 이익을 얻고 있어 분단의 고착화를 바라고 있으므로 이러한 모순을 해결하기 위해 노동자, 농민, 학생 등이 일치단결하여 미국과 군부독재를 타도해야 한다는 등으로 결국 계급혁명, 폭력혁명을 통해 국가전복을 기도하는 것이기 때문에 이를 문제삼은 것임에도 그중 일부 지엽적인 주장 (미군철수 요구)만을 기술하여 법률의 적용을 왜곡 설명

2. 국가보안법위반 구속자 대부분이 신빙성 있는 증거에 의해 간첩 또는 폭력활동으로 기소되지 않고, 고문이나 정당하지 못한 재판으로 형을 선고받은 '양심수'라고 규정 (연례보고서 동일)

   - 개별적이고 구체적으로 근거를 제시함이 없이 개괄적으로 기술하여 아국의 사법활동 전반에 대한 오해를 야기함

0354

3. '89.4.3-6.19 공안합동수사본부는 정치적 이유로 368명을 체포하였다고 기술 (연례보고서 동일)

- 구속영장이나 공소장에 기재된 범죄사실에는 전혀 언급이 없이, 또한 그 범죄사실과 정치적 이유와는 어떤 관계에 있는지에 대해서는 전혀 설명이 없이 위와 같이 기술함으로써 아국은 정치적 이유로 아무나 구속할 수 있는 국가로 오인케 함

4. 창원전자봉고문사건으로 황종수가 전치 2주의 입원치료를 요하는 상해를 입었다고 기술

- 수사결과 고문이 없었던 것으로 밝혀짐. 황종수는 진단서도 제시하지 못하였고 위와 같은 진단이나 치료를 받은 일도 없음

5. 조선대 이철규 사망사건에 대해 학생들과 반정부 인사들은 경찰에 의해 고문사한 것이라고 주장한다고만 기술

- 수사기관의 수사결과나 야당까지 참여한 국회의 조사결과에 대해서는 전혀 언급이 없어 균형을 상실했다고 생각함.
  AI가 단순히 소문이나 주장을 수집, 배포하는 단체가 아니라면 정부의 발표에 반대되는 주장에 대해서 그 근거도 검토해 주기 바람. 그와 같은 노력이 없다면 아국에 전혀 도움을 줄 수 없을 뿐만 아니라 객관적 근거도 없는 사실을 국제적으로 유포하여 아국이 큰 타격을 입을 수 있음을 심각하게 고려해 주기 바람

0355

'90.7 연례보고서중

1. 군보안기관이나 민간보안기관이 정치사건의 수사에서 행사하는 역할은 감소되지 않고 있다고 기술

- 보안사 및 안기부는 군과 민간부분에서 발생하는 제한된 안보관련 사건만을 취급하고 있으며, 이것은 분명히 법률의 규정에 따른 것이며, 업무범위외의 사건수사에 개입할 수 없음

- 동 보고서는 불법적인 개입사례는 밝히지 않고 정치적 범법행위라는 모호한 표현을 사용함으로써 마치 이들 기관이 국가안보에 관련되는 사범이 아닌, 정치적 사건이나 정치인들의 범법행위에 불법, 부당하게 개입하고 있다는 오해를 불러 일으킬 수 있도록 기술

2. 당국은 '전교조'를 불법으로 규정하였다고 기술

- 아국의 헌법과 법률이 교사들의 노동활동을 금지하고 있는 것이지 당국의 판단에 따라 불법, 적법으로 규정될 수 있는 것이 아님

3. 장기수 복역수들중 몇명은 양심범으로 간주되고 있다고 기술

- 그 몇명의 이름, 다른 사람과 달리 양심범으로 간주되는 이유에 대해서는 언급이 없이 일방적으로 기술하여 부당한 구금이 계속되고 있는 것으로 막연히 표현

0356

대범죄전쟁선포 관련 법제정 또는 개정내용

1. 특정강력범죄의처벌에관한특례법 제정

ㅇ 입법취지

가정과 사회를 파괴하는 특정강력범죄에 대한 처벌과 절차에 관한 특례를 규정하여 국민의 생명과 신체의 안전을 보장하고 범죄로부터 사회를 방위하기 위함

ㅇ 주요내용

. 증인에 대한 신변안전을 위하여 필요한 조치를 하도록 함

. 신속한 소송절차규정을 둠

- 법원은 검사 및 변호인과 공판기일의 지정 기타 소송의 진행에 필요한 사항을 협의할 수 있음

- 집중심리규정을 신설함

- 판결선고는 신속하게 하며 변론 종결일부터 14일 이내에 하도록 함

0357

2. 법률개정

o 폭력행위등처벌에관한법률 개정

. 개정취지

조직, 상습, 집단, 흉기사용폭력사범을 엄벌하여 민생치안 확립에 이바지하려는 것임

. 주요내용

- 상습적으로 상해, 폭행, 체포, 감금, 협박, 주거침입, 퇴거불응, 폭력에 의한 권리행사방해, 공갈, 손괴 등 폭력행위 등의 죄를 범한 자는 3년 이상의 징역에 처하도록 함

- 폭력행위 등으로 2회이상 징역형을 받은 자가 폭력행위 등의 죄를 범하여 누범으로 처벌받는 자는 3년 이상의 징역에 처하도록 함

- 단체나 다중의 위력을 보이거나 흉기 등을 휴대하여 폭력행위 등의 죄를 범한 자는 3년 이상의 징역에 처하도록 함

0358

o 범죄피해자구조법 개정

. 개정취지

범죄수사 또는 형사재판절차에서 고소, 고발, 증언 등 이유로 보복범죄를 당한 경우 피해구조요건을 완화하여 범죄척결에 국민의 협조를 유도함

. 주요내용

고소, 고발, 증언 등을 하였다는 이유로 보복범죄를 당한 경우 그 피해의 구조요건을 일반범죄의 피해요건보다 완화하여 가해자의 불명, 무자력, 피해자의 생계곤란 여부와 관계없이 범죄피해자구조금을 지급함

o 특정범죄가중처벌등에관한법률 개정

. 개정취지

흉기휴대, 집단강간범죄를 피해자의 고소없이 엄벌하고 보복범죄를 엄벌하여 민생치안확립 및 범죄척결에 국민이 동참할 수 있는 여건을 조성함

0359

. 주요내용

- 흉기 기타 위험한 물건을 휴대하거나 2인 이상이 합동하여 강간한 때에는 무기 또는 5년 이상의 징역에 처하고, 이와 같은 방법으로 강제추행한 경우에는 3년 이상의 유기징역에 처하며, 이 행위로 사람을 사망. 상해한 때에도 각각 가중처벌하고, 이들 강간 등의 경우에는 피해자의 고소없이도 처벌할 수 있도록 함

- 증인 등에 대한 보복목적의 살인, 상해, 폭행, 체포, 감금, 협박 등을 가중처벌하고, 증언 등 방해행위와 증인 등에 대한 면담강요행위를 처벌함

0360

정 리 보 존 문 서 목 록					
기록물종류	일반공문서철	등록번호	2019040013	등록일자	2019-04-04
분류번호	736.21	국가코드		보존기간	영구
명 칭	A.I.(국제사면위원회) 인사 방한, 1991				
생 산 과	국제연합과	생산년도	1991~1991	담당그룹	
내용목차	* 9.11-20 - Mr. Paul Hoffman(미남가주 민권연맹 법률국장) - Ms. Clare McVey(A.I. 직원)				

0001

원 본

요지정부의
A.I. 방한건

외 무 부

종 별 :

번 호 : UKW-0353 일 시 : 91 0207 1500

수 신 : 장관(국연,구일,영사)

발 신 : 주영대사

제 목 : 국제사면위 직원 방한

당지 A.I. 는 당관앞 서한을 통해 동 기구의 국제사무국 직원인 MR. NIKHILROY(인도국적,영국 장기비자 소유)가 한국내 회원문제와 관련한 조직 및 행정업무 협의차 91.2.22-28 간 방한 예정이며, 이에 따른 아국 입국사증 발급을 요청하여 왔음

2.동 서한은 또한 동인의 금번 방한은 A.I.의 한국내 인권문제와는 상관이 없으며 모든비용은 A.I.측에서 부담 예정임을 부언하고있음

3.동인에 대해 통상절차에 따라 단기 단수비자를 발급코자 하는바, 특별한 이견있을시 조속 회시바람

4.동인은 작년 동일한 목적으로 당관에 입국사증을 신청, 90.7.18-24간 방한한 기록을 가지고 있는바, 인적사항은 아래와 같음

.-60.8.22 생

-직책: A.I.아태지역 회원 조정관

-여권 번호: [redacted]

-방한기록: 90.1 및 7 월(연: UKW-1208 참조)

-체한숙소: CORE HOTEL(서울 서초동 1338-8,전화554-6031)

-국내연락처: 김현수(여의도), 오완호(대구시 동구 신암동 283-7), 고은태(서울대).끝

(대사 오재희-국장)

국기국 구주국 영교국

PAGE 1

91.02.08 00:56 DQ

외신 1과 통제관

0002

9

관리번호	91-943

원 본

외 무 부

종 별 :

번 호 : UKW-1693 일 시 : 91 0821 1800

수 신 : 장 관(국연,구일,기정)

발 신 : 주 영 대사

제 목 : 국제사면위(A.I) 인사방한

1. 당지 A.I. 측은 아국 인권상황 연구 목적으로 하기 양인이 91.9.11-20 간 방한 예정임을 통보하면서 관계인사 면담에 협조하여 줄 것을 요망해왔음.

MR. PAUL HOFFMAN

LEGAL DIRECTOR OF THE AMERICAN CIVIL LIBERTIES

UNION OF SOUTHERN CALIFORNIA

MS. CLARE MCVEY, A.I 직원

2. 상기 MR.HOFFMAN 은 90.10. 월 A.I. 대표로 방한한 인사이며, 91.9 월초요꼬하마에서 개최되는 A.I. 국제이사회 교체의장으로서 회의 참석후 방한 예정이라함.

3. 상기 방한인사들의 접촉 희망기관과 협의사항은 아래와 같음.

-외무부 유엔과: 체한일정 및 국제인권규약 관계

-법무부 법무실 및 인권국: 국가보안법개정, 5 월실시 특사, 유엔인권위 제출보고서

-경찰청: 경찰청 발족에 즈음하여 경찰위원회 위원을 면담코 A.I. 업무설명과 경찰조직, 인신구금 심문절차 및 각종 시위처리 정책문의

4. A.I. 요망에 대한 본부방침 회시바람. 끝

(대사 이홍구-국장)

예고: 91.12.31 일반

일반문서로 재분류(1991 . 12. 31.

국기국 장관 차관 1차보 구주국 청와대 안기부

PAGE 1

91.08.22 07:45

외신 2과 통제관 BS

0003

관리번호	91-982

기 안 용 지

분류기호 문서번호	국연 2031 - 2043	(전화:)	시 행 상 특별취급	
보존기간	영구 · 준영구. 10. 5. 3. 1	장 관		
수 신 처 보존기간				
시행일자	1991. 8. 23.			

보조기관		협조기관	문서통제
국 장	전결		검열 1991. 8. 24 통제관
심의관			
과 장			
기안책임자	황준국		발송인 (외무부 1991. 8. 24 발송)

경 유 / 수 신 / 참 조	법무부장관	발신명의	
제 목	국제사면위 인사 방한		

1. 국제사면위(A.I)측은 아래와 같이 A.I. 인사의 방한예정을 주영 아국대사관에 알려오면서 방한에 따르는 협조를 요청하여 왔는 바, 검토후 협조여부에 관하여 가능한 8.27(화)까지 의견을 회보하여 주시기 바랍니다.

- 아 래 -

가. 성명 및 직책

o Mr. Paul Hoffman / 계속 /

0004

(2)

Legal Director of the American Civil

Liberties Union of Southern California

o Ms. Clare McVey

A.I. 직원

나. 방한예정기간 : 91.9.11(수)-20(금)

다. 방한경위

o 상기 P. Hoffman은 90.10. A.I. 대표로 방한한

인사이며, 91.9월 요꼬하마 개최 A.I. 국제이사회

교체의장으로 회의 참석후 방한예정

라. 협조요망사항

o 외무부 유엔과 : 체한일정 및 국제인권규약관계

o 법무부 법무실 및 인권국 : 국가보안법개정,

5월 실시 특사, 유엔인권위 제출보고서

o 경찰청 : 경찰청 발족에 즈음하여 경찰위원회

위원을 면담코 A.I. 업무설명과 경찰조직,

인신구금 심문절차 및 각종 시위처리정책

문의

/ 계속 /

0005

(3)

2. 상기 A.I.의 협조요청과 관련, 기본적으로 당부로서는 그간 A.I.활동에 대한 아국정부의 적극적 대응과 양자간 협조 관계 유지등에 비추어 볼때 A.I. 인사의 금번 방한에 대해서도 가급적 협조해 주는 것이 바람직하다고 생각하고 있습니다. 다만, 당부의 A.I. 담당부서인 유엔과는 9월중 우리의 유엔 가입과 그에 따르는 국가원수의 유엔방문행사 등으로 동인의 방한희망 기간동안 제반협조 제공이 불가능한 상황입니다. 따라서 금번 방한단에 대해 협조 제공시에는 귀부에서 동 방한에 따르는 업무를 총괄적으로 담당해 주실 것이 요망되오니 이점 참고바랍니다. 끝.

일반문서로 재분류 (1991.12.31.

0006

법 무 부

인권 2031- 12413 503-7045 1991. 8. 28

수신 외무부장관

참조 국제기구조약국장

제목 국제사면위 인사방한에 따른 협조의견 송부

1. 국연 2031-2083 ('91.8.24)과 관련입니다.

2. 귀부에서 요청한 국제사면위 인사 방한에 따른 협조요청에 관하여 당부로서는 국제사면위측의 면담희망 인사에 대하여 면담일정을 조정할 수 있음을 알려드립니다. 끝.

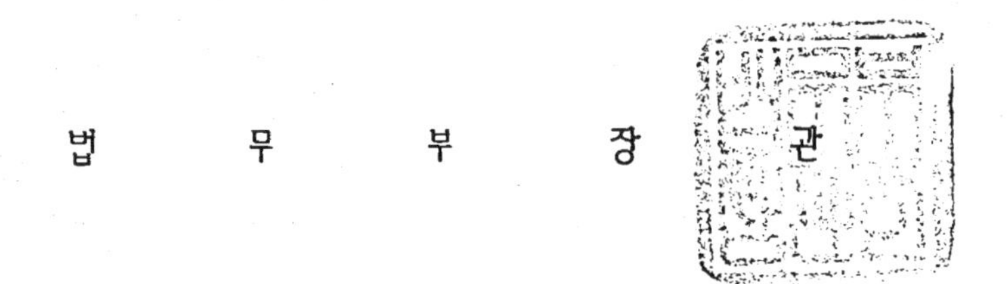

법 무 부 장 관

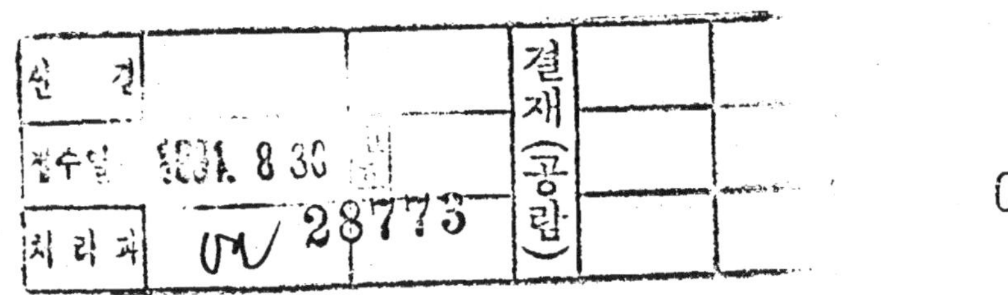

선 결			결재(공람)		
접수일	1991. 8. 30				
처리과	UN 28773				

0007

관리 번호	91 -999

	분류번호	보존기간

발 신 전 보

번 호 : WUK-1583 910829 1937 F종별 :

수 신 : 주 영 대사. 총영사

발 신 : 장 관 (국연)

제 목 : 국제사면위(A.I) 인사방한

대 : UKW - 1693

1. 대호 본부로서는 Hoffman 일행의 방한기간 중 유엔총회 업무사정상 ~~제반~~협조 제공이 불가능~~한 바~~하나, 법무부 인권과 에서 면담 일정조정등 전반적인 협조를 제공해 주기로 하였음을 A.I측에 통보바람

2. 법무부에서 필요하다~~에서~~하니 보다 구체적인 면담희망인사와 협의요망사항 있으면 지급회~~시~~보바람. 끝.

(국제기구조약국장 문동석)

일반문서로 재분류 (1991.12.31.)

보안 통제	(서명)

앙 고 재	91년 8월 29일	유엔과	기안자 성명		과 장	심의관	국 장		차 관	장 관
			(서명)		(서명)					(서명)

외신과통제

0008

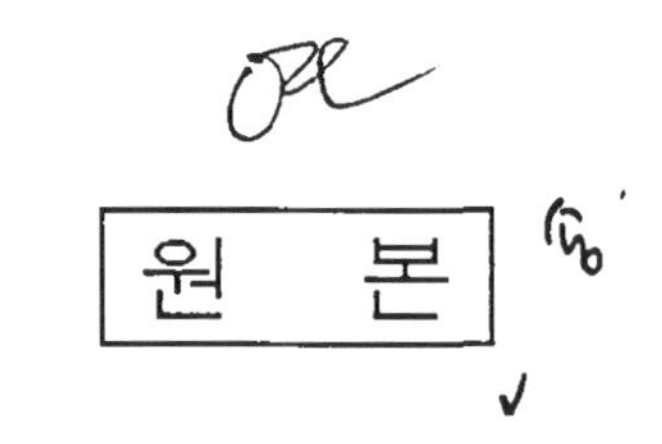

관리번호	91-1036

원 본

외 무 부

종 별 :

번 호 : UKW-1809　　　　일 시 : 91 0904 1800

수 신 : 장관(국연,구일,기정)

발 신 : 주 영 대사

제 목 : 국제사면위 인사방한

연: UKW-1693

대: WUK-1583(1), 국연 2031-28012(2)

1. 대호관련, 당관에서 8.30(금) A.I. 아. 태과장대리 G.ROBINSON 에게 외무부에서 HOFFMAN 일행의 방한일정을 담당하기 어려운 사정을 설명하고, 대신 법무부에서 제반일정을 주선할 예정임을 통보함.

2. A.I. 측은 구체적인 관심사항 및 면담요망 인사에 대하여 아래와 같이 알려옴.

가. 관심사항 (협의 희망사항)

-1991.5. 개정된 국가보안법이 표현, 집회의 자유에 미치는 영향과 개정된 보안법하에 취해진 기소가 있는지 여부

-남북교류법 및 이의 적용 (통일원 관련)

-정치범에 대하여 공산주의로 부터의 전향각서 서명을 강제하는 문제, 이의법적근거 및 실제 운용사례

-시민적, 정치적 권리에 관한 국제규약 제 40 조에 의거한 아국의 최초보고서 (대호 2 관련) 사전구득 및 동 협약 제 4,6,7,9,10,14,19,21,22 조 (9 개조) 에 관한 아국정부의 의견

-법무부가 희망하는 개별적인 인권사례에 대한 토의

-최근 사형선고 증가에 관한 문제

나. 면담 희망인사

-과거 A.I. 인사 방한시와 마찬가지로 법무부 차관 및 법무과, 인권과, 검찰과, 교정국의 담당관

다. 기타

-경찰청 간부 또는 경찰위원회 위원을 면담, 구금 및 심문절차등에 대한

국기국　차관　1차보　2차보　구주국　분석관　청와대　안기부

PAGE 1　　　　91.09.05　06:19

외신 2과　통제관 CH

0009

의견교환을 희망함.

3. A.I. 측은 상기 법무부 및 경찰청 방문일자로 9.19(목)을 희망하고 있으며, 불가시 9.17. 또는 9.18. 도 가하다고함. A.I. 방한인사의 기타 일정 작성에필요하다하니, 상기 방문일자가 결정되면 당관에 회시하여 주시기 바람. 끝

(대사 이홍구-국장)

예고: 91.12.31 일반

일반문서로 재분류 (1991 .12.31.

PAGE 2

0010

기 안 용 지

분류기호 문서번호	국연 2031 - 2214	(전화 :)	시 행 상 특별취급	
보존기간	영구 · 준영구. 10. 5. 3. 1	장 관		
수 신 처 보존기간				
시행일자	1991. 9. 7.			

보조기관	국 장	전 결	협조기관		문서통제 1991. 9. 09
	심의관				
	과 장				
기안책임자		송영완			발 송 인 1991. 9. 09 외무부

경 유		발신명의	
수 신	법무부장관		
참 조	법무실장		

제 목	국제사면위 대책

대 : 인권 2031-12413 (91.8.28)

1. 대호, 국제사면위 인사방한(91.9.11-20)과 관련, 국제사면위측이 주영대사관에 요청한 체한 희망일정을 별첨과 같이 알려드리오니 일정주선에 참고하시기 바랍니다.

2. 한편, 국제사면위 91.9월판 뉴스레터에 서승 관련 기사가 게재된 바, 동건관련 주영대사 보고전문 사본을 별첨 송부합니다.

첨 부 : UKW-1785, 1809 사본 각 1부. 끝.

0011

원 2

원 본

관리번호 91-1

외 무 부

종 별 : 지 급

번 호 : UKW-1840 일 시 : 91 0909 1830

수 신 : 장관(국연,구일,기정)

발 신 : 주 영 대사

제 목 : 국제사면위 인사 방한

연: UKW-1809(1), 3737(2)

대: WUK-1656

1. 당관 이기철 서기관은 금 9.9(월) A.I. 방한인사의 법무부담당자 면담일정이 9.19(목) 오후로 잠정 결정되었음을 A.I. 측에게 알림

2. A.I. 측은 방한일행의 도착및 출발 항공편과 서울 체류숙소를 아래와 같이 알려오면서, 면담시간 및 면담 예정자(경찰청 포함)등 구체적인 사항이 결정되면 숙소로 연락해 줄 것을 희망함

가. 항공일정

0 도착: 9.11.(수) 1710 KE-723 편(오사카발)

-출발: 9.20(금) 1205 JL-792 편(오사카 향발)

나. 체류숙소

0 호텔명: METRO HOTEL

0 주소: 중구 을지로 2 가 199-23

0 전화 776-6781-8

3. A.I. 측은 방한일행 자체 주선일정으로는 구속자 가족면담 및 국내 인권단체 방문이 있다고 하면서, 구체적인 언급을 회피함

4. 연호(2) 제 5 항 관련, 상기 방한과는 별도로 A.I. 영국지부(BRITISH SECTION) 소속 MR. DAN JONES 가 아국에서의 국별지부 설치문제 검토를 위하여 9.9-14. 간 방한할 예정임을 참고바람. 끝

(대사 이홍구-국장)

91.12.31. 까지

일반문서로 재분류 (1991 12. 31)

국기국 차관 1차보 2차보 구주국 분석관 청와대 안기부 안기부

PAGE 1 91.09.10 06:52

외신 2과 통제관 CH

0012

배부처	법무부	대검	청와대	기타기관
	ⓥⓥⓥ○○○	○○	ⓥⓥ	○○ⓥ○○○○
	장차법검 무찰 실국 관관장장	공 안 부 장	사정(법무) 정책조사보좌관	제안외공법 1 행기무보제 조부부처처

정 보 보 고

1. 제 목

AI 인사 방한일정 변경

2. 출 처

인 권 과

(1991. 9. 13)

3. 내 용

ㅇ 기 보고한 "AI 인사 방한관련 준비사항 보고"와 관련임

ㅇ 현재 체한중인 Paul Hoffman 등 AI 인사 2명의 이한일정이 변경됨에 따라 당부 면담일정이 아래와 같이 변경되었음

ㅇ 변경사항

- 체류기간

. 출국 : '91.9.19(목) 15:30

- 법무부 방문

. '91.9.17(화) 15:00-16:00

* '91.9.16(월) 인권과장과 저녁식사

0013

報 告 畢

長官報告事項

1991. 9. 13.
國際機構局
國際聯合2課(2)

題 目 : 國際赦免委 人士 訪韓

> 國際赦免委(A.I.)人士 2인이 韓國人權狀況 研究次 9.11.入國, 10일간 豫程으로 活動中인 바, 關聯事項을 아래 報告드립니다.

1. 人的事項

- o Mr. Paul Hoffman(미남가주 민권연맹 법률국장, 90.10.방한)
- o Ms. Clare McVey(A.I. 직원)

2. 訪韓目的

- o 保安法 改正, 5월 特別赦免, 警察廳組織, 人身拘禁 審問節次, 示威處理政策 等 把握
- o 拘束者 家族 面談, 國內人權團體 訪問

3. 面談豫定人士(法務部가 面談 周旋等 擔當)

- o 法務部 法務室長, 人權課長
- o 警察廳 企劃管理官

4. 關聯對策

- o 法務部와 接觸, A.I.측 人士 活動 把握

5. 弘報對策: 해당없음. 끝.

양 고 재	담 당	과 장	국 장
9 13			

0014

배부처	법무부	대검	청와대	기타기관
	✓✓✓○○○ 장차법검무찰실국관관장장	○○ 공안부장	✓✓ 정책조사보좌관	✓✓✓○○○○ 재안외공보 1행조 기무보제 부부치처

정 보 보 고

1. 제 목

변협회장 AI 인사 면담

2. 출 처

인 권 과

3. 내 용

(1991. 9. 18)

○ 기히 보고한 AI 인사 방한관련 준비사항 보고(9.10, 9.13) 관련임

○ 변협회장 (사무총장(인권위원장 겸임), 섭외이사 배석)은 금일 15:30-16:10 방한중인 Paul Hoffman AI이사를 면담하고

○ 국내 인권상황에 관한 전반적 의견 교환후 서구인권위주의 인권관문제(보편적 인권개념) "변호사의식 설문조사"에서 나타난 6공의 인권상황 개선 평가 등을 상세히 설명한 바 있음

○ 변협회장의 금번 면담은 AI 측의 편향적 시각을 시정함에 있어 커다란 도움을 줄 것으로 기대됨

0015

74

법 무 부 인 권 과

1991. . .

아래 문건을 수신자에게 전달하여 주시기 바랍니다.

제 목 :

수 신 : 외무부 국제연합과 (a: 인권사회과(?))

(수신처 FAX NO: 723-3505)

발 신 : 법무부 인권과

표지포함 총 ____ 매

0016

배부처	법무부	대검	청와대	기타기관
	✓✓✓✓✓○	○○	✓✓	✓✓✓○○○○
	장 차 법 검 (서명) 무 찰 실 국 관 관 장 장	공 안 부 장	사정(서명) 정책조사보좌관	재 안 외 공 법 1 행 기 무 보 제 소 부 부 처 처

정 보 보 고

1. 제 목

AI 이사 당부방문 결과

2. 출 처

인 권 과

3. 내 용

(1991. 9. 20)

o AI 이사 Paul Hoffman이 9.17. 15:00, 당부를 방문하여 법무실장을 예방한 후 인권과장 등과 아국의 인권상황 전반에 관하여 면담하였는 바, 면담결과는 별첨과 같음

o 첨부 : 면담결과 1부.

0017

AI 이사 (Paul Hoffman)
법무실장 예방 및 인권과장 면담내용

1991. 9. 17

인 권 과

0018

1. 개 요

1) 법무실장 예방

ㅇ 일 시 : 1991. 9. 17(화) 15:00-15:15

ㅇ 장 소 : 법무실장실

ㅇ 예방자 : Paul Hoffman (AI 이사)

Clare Mcvey (AI 조사연구원)

ㅇ 배석자 : 인권과 류 국 현 과장

김 웅 기 검사

정 기 용 검사

2) 인권과장 면담

ㅇ 일 시 : 같은 날, 15:20-18:00

ㅇ 장 소 : 인권과장실

ㅇ 면담자 : 위 예방자와 같음

ㅇ 배석자 : . 인 권 과 김 웅 기 검사

" 정 기 용 검사

. 검찰제3과 차 몽 민 검사

. 검찰제4과 정 택 화 검사

. 보안제2과 이 순 길 과장

1

0019

그리고 짧은기간 동안이지만, 한국에 다시 와서 보니, 작년에 비해 너무 많이 변한 것을 느낀다. 사회 모든분야가 매우 급속히 발전하고 있고, 변화되어 나아가고 있는 느낌이다. 그런데, 특히 인상깊은 것은, 교통사정만은 지극히 악화되었다는 사실이다 (참석자 모두 웃음)

o 실 장

귀하가 매우 적절히 지적한 것 같이, 한국사회는 그동안 정부의 꾸준한 민주화, 개방화 정책의 결과로 경제 뿐만 아니라 사회 모든 분야에서 급속한 변화를 겪고 있다.
특히, 귀하가 관심을 가지고 있는 인권관련상황을 보더라도 우리 국민의 인권의식이나 인권보장을 위한 각종 제도 등은 세계 어느 나라에도 뒤지지 않을 정도의 수준에 도달해 있다고 본다.
본인은 이번 기회에 귀하가 한국의 인권상황에 관해 보다 많이 보고 이해하여, 앞으로 귀하가 작성하는 모든 문서가 객관적이고도 공정한 것이라는 평가를 받기를 바란다.
단, 교통사정이 지극히 악화되었다는 귀하의 지적에 대하여는 나도 전적으로 동감하고 있지만, 인권평가보고서에는 언급하지 않았으면 한다 (참석자 모두 웃음)

3

0020

○ 이 사

개인적으로 볼 때, 오늘 이와 같은 만남은 한국의 인권상황 등에 대해 객관적인 시각을 갖게 하는 데 매우 도움이 된다고 생각한다.

특히, 서로가 인권문제에 관해 토론을 하면서, 비록 개개의 문제에 관해서는 견해가 서로 다르다 하더라도, 상호간의 입장을 이해하는데는 매우 도움이 될 것이라고 본다

ㅁ 실 장

특히, 본인이 이 자리에서 한가지 강조하고 싶은 것은, 이제까지 전세계 여러 국제기구나 민간단체의 인권관련 보고서 내용을 살펴보면, 한국의 인권상황에 관해서 상당히 많은 보고서들이 잘못 서술하고 있거나, 왜곡되게 기술하고 있음을 본다.

그와 같이 작성된 이유야 여러가지가 있겠지만, 무엇보다도 모든 보고서나 평가서의 생명은 서술의 객관성과 인용된 자료의 정확성에 있다고 본다.

○ 이 사

본인도 귀하의 생각에 전적으로 동의한다.

이제까지 AI의 레포트는 전세계 국가의 인권상황이나 관련 인권문제에 관하여 최대한 객관적인 입장에서 작성되어 왔다고 생각한다.

4

0021

ㅇ 실 장

이번 서울에 체류하는 동안 불편한 점이 있었는가

ㅇ 이 사

불편한 점이 없었다.
오히려, 본인이 투숙하고 있는 메트로호텔은 명동에 있는데, 거리를 바쁘게 오가는 많은 사람들의 활기찬 모습이 꼭 미국 뉴욕의 어느 한 거리에 와 있는 듯한 착각을 일으킬 정도다.
국민들이 매우 활기에 차 보인다. 인상적이다.

ㅇ 실 장

한국의 가을은 매우 아름다운 계절이다.
특히 드높고 푸른 가을하늘은 매우 인상적이며, 좋은 기억으로 남을 것이다.
매우 좋은 계절을 맞이하여 귀하가 이곳 서울에서 머무르는 동안 좋은 시간과 많은 귀중한 경험을 가질 수 있기를 바란다.

ㅇ 이 사

오늘 바쁜시간중에 이와 같이 좋은 면담을 허락해 주신 것에 깊은 감사를 드린다.
이곳에서 보낸 좋은 시간들과 우리를 우호적으로 대해 준 여러 사람들에 대한 기억은 좋은 경험으로 간직될 것이다.
다시 한번 고마움을 표시하고 싶다

5

0022

공　　　란

공 란

o 이 사

재판전 미결구금되는 시점은 언제인가

o 과 장

수사단계에서 피의자가 구속되는 시점이다. 구속여부는 죄명, 죄질 등 구체적 사안에 따라 차이가 있다

o 이 사

판사가 언제부터 구속에 관여하는가

o 과 장

최초시점인 구속영장 발부시부터 판사가 관여하며, 검사의 구속영장청구에 대하여 판사가 자유재량으로 발부여부를 결정한다

o 이 사

보석이 가능한가

o 과 장

판사의 결정에 의하여 기소전에는 구속적부심, 기소후에는 보석으로 석방된다

ㅇ 이 사

모든 경우에 보석이 가능한가

ㅇ 과 장

원칙적으로 모든 사건에 대하여 보석 가능하며, 그 허용여부는 전적으로 판사의 재량이다

ㅇ 이 사

국가보안법위반사범의 경우 거의 대부분 구금되며, 보석이 불허되는 이유는 무엇인가

ㅇ 과 장

일부 반체제인사들은 그렇게 주장하나 잘못된 주장이다.
판사는 보석신청이 들어오면 죄질, 피고인의 성향 등 제반사정을 종합, 신중히 고려하여 일반적 기준에 맞으면 보석을 허가하며, 국가보안법위반사건이라는 이유로 예외적으로 취급하는 경우는 없다.
구속영장신청시에도 마찬가지로 신중히 결정된다.
국가보안법위반사범이라고 해서 구속영장이 쉽게 발부되는 것이 아니다. 대다수의 국가보안법위반사범은 불구속으로 처리되고 있으며 사안이나 죄질이 중한 자에 대해서만 구속영장이 발부된다.

9

0026

o 이 사

최근에 국가보안법이 개정된 것으로 아는 데 재개정할 계획이 있는가

o 과 장

현재 단계로서는 재개정을 고려하고 있지 아니하나, 동 법은 한국의 특수한 안보상황에 따라 제정되었으므로 주변상황 여건이 변화하는 데 따라서 일반법률과 마찬가지로 개정될 수 있다고 본다

o 이 사

국가보안법 하에서 표현의 자유 - 이적서적 출판, 이적도서 소지 등으로 구속된 사람들에 관하여 관심이 있다.
이는 어느 시기, 어느 나라에서나 표현의 자유에 속하는 것이 아닌가.
예컨대, 서울사회과학연구소 사건의 경우 그 정확한 범죄 사실은 무엇인가

o 과 장

동 사건으로 구속기소된 사람은 2명이며, 동 사건의 범죄사실은 구속영장에 포함되어 있으나 그 양이 매우 방대하다.

10

0027

요약해서 설명하면 동인들은 단순히 마르크스시즘-레닌이즘에 관한 학문연구결과를 서적으로 출반한 행위로 인하여 구속된 것이 아니라 북한의 대남전략전술의 일환인 민중민주주의 폭력 혁명을 선동하는 내용을 기술하여 이적행위를 하였기 때문에 구속된 것이다

ㅇ 이 사

그 범죄사실을 복사해 줄 수 있는가

ㅇ 과 장

동 사건은 기소되어 법원에서 재판중이므로 담당 재판부와 협의하여 가능하다면 자료를 제공하겠다

ㅇ 이 사

표현의 자유에 관하여는 AI의 견해와 많은 차이가 있다. 국제적 기준에 따르면 당연히 표현의 자유에 속하는 것이 왜 범죄행위가 되는가

ㅇ 과 장

AI의 견해와 차이가 있는 점은 잘 알고 있다. 귀하는 표현의 자유에 관한 국제적 기준을 거론하나, 본래

11

0028

표현의 자유는 절대적 자유가 아니라 어느 국가가 처한 구체적 여건에 따라 국가의 존립, 안전을 위하여 법률로 제한될 수 있는 내재적 한계를 지니고 있는 것이다.

우리나라는 북한과 대치하고 있는 특수한 안보상황에 따라 국가의 존립. 안전을 도모하기 위하여 헌법, 국가보안법 등의 법률에 따라 내재적 한계를 초과하는 표현의 자유를 최소한으로 제한하고 있는 것이다.

우리의 주변여건에 비추어 볼 때 이러한 제한은 합리적이며 타당하다고 생각한다.

또한 귀하는 어느 시대, 어느 국가에 있어서나 서적출판의 자유는 보장되어야 한다고 하였으나, 그때 그때의 시대상황, 특정국가가 처한 여건 등에 따라서 일반적인 표현의 자유의 내재적 한계원칙에 따라서 서적출판에 대한 합리적 제한이 가능하다고 생각한다.

굳이 선진 각국의 예를 들지 않더라도 지구상의 모든 국가가 표현의 자유의 제한범위를 시대적 상황에 따라 확대 또는 축소하여 온 것은 귀하도 잘 알 것이다.

o 이 사

AI는 표현의 자유에 관한 한국정부의 입장이 국제적 기준에 위배되며 그리 객관적이 아니라고 본다.

o 과 장

표현의 자유중 표현의 내용만을 문제삼아 제한하여서는 않된다는 점은 국제적으로 잘 알려진 법원칙이다. 문제는 표현의 내용을 어떻게 정의 하느냐이다. 극장에서 갑자기 "불이야"라고 외쳐 관객에게 공포와 소란을 야기한 경우는 표현의 자유를 보장받지 못한다는 미국 대법원의 판결과 같이 그 표현이 어떠한 상황에서 어떠한 목적하에 이루어졌느냐가 문제의 핵심이 되는 것이다. 귀하는 표현의 자유에 대한 한국정부의 입장을 정확히 알지 못하고 있다.

한국정부는 순수한 표현의 내용 자체를 제한의 대상으로 하지 않는다. 국가보안법도 마찬가지이다. 다만 어떤 표현중에는 (예컨대 민중폭력혁명선동내용등)다른 나라에서는 표현의 자유로 보장되지만 한국에서는 보장되지 않는 경우가 있는 것은 사실이다. 이는 표현의 내용 자체가 아니라 그 내용이 포함하고 있는 전투적.행동적 특징 때문에 또한 그러한 내용이 표현되는 방식 때문에 문제가 되는 것이다. 한국이 태평양 한 가운데의 섬나라이거나 귀하도 인정하는 폐쇄적.전투적인 공산주의 집단과 대치하고 있지 아니하다면 이런 고민은 없을 것이다.

귀하는 이러한 쟁점에 대해 형식적이며 겉으로만 사안을 파악하고 있다. 일부 반체제 분자들의 이야기를 들으면 귀가 솔깃해질 것이다. 그러나 그들은 중요한 부분을 의도적으로 빠뜨리거나 흐려버린다.

이들의 표현내용은 고도의 정치적 목적하에 이루어진 무쟁적이고 전투적인 선동을 그 본질로 하고 있다. 물론 이들은 표현내용과 방식을 학문이라는 이름으로 분장하고 있다.
그들의 표현내용이 순수한 학문의 차원인지 아니면 고도의 지능적인 정부전복선동인지는 사안에 따라 면밀히 검토하여 가려져야 한다. 사회과학연구소 사건은 수사결과 순수한 학문의 차원을 이탈하여 이적성을 띄었다고 결론 난 것이다. 법원은 이 점을 심리하여 결정할 것이다.
자꾸 국제기준을 이야기 하는데 AI의 본부가 있는 런던에서 나찌의 공습이 한창이던 2차대전시 런던의 씨카디리광장에서 나찌를 찬양하고 영국 정부의 전복을 주장한다면 그것도 표현의 자유로 보장하겠는가. 국제기준은 일반적,개략적인 것이다. 시대상황과 주변여건에 따라서는 일반론이 먹혀들어가지 아니하는 경우가 허다하다.
솔직히 말해 우리나라와 대치하고 있는 북한의 실상을 파악하여 비교해 보지 아니하고 추상적 국제기준에 입각한 더 이상의 논평은 무의미하며 비생산적이라고 생각한다.
또한 우리나라의 일반국민 대다수가 어떻게 생각하고 있는가 여부도 매우 중요한 문제이다.
국민 대다수는 북한의 위협을 깊이 인식하고, 북한의 대남적화 전략에 동조하는 극소수 급진세력에 대하여 우려를 표명하여 국가안전보장을 위하여 표현의 자유 등 일부 기본권을 제한 하는 데 대하여 넓은 공감대를 형성하고 있다. 귀하는 이러한 부분에 대해서도 같은 무게를 두고 검토하여야 할 것이다.

공 

공 란

공 란

공 란

공 란

o 이 사

노동조합은 폭력시위를 하지 아니하는 것이 아닌가

o 과 장

사실은 그렇지 않다.
과격 노동조합들은 역시 계급혁명, 폭력혁명, 정부전복,
사회주의사회 건설을 그들의 슬로건으로 하고 있고,
이는 동 단체들의 선전 등을 분석하면 쉽사리 알 수 있다

o 이 사

노동조합은 합법적으로 시위할 권리가 없는가

o 과 장

물론 평화적 집회. 시위는 전적으로 보장된다.
그러나 상당수의 급진적 노동조합은 민주주의체제 전복을
주장하며 폭력혁명을 주장하는 매우 정치적 집단이다.

o 이 사

미국에도 집회신고를 받는 등 옥외집회. 시위에 대한 제한을
하고 있으나, 다른 점은 시위중 반국가정책을 주장하는 등
어떤 주장을 하더라도 무방하다

○ 과 장

그것은 우리도 마찬가지다.
단지 시위가 폭력화하는 것을 방지하기 위하여 사전, 사후에
철저한 대비를 하는 것일 뿐이다.
평화적 방법으로 시위를 하는 경우는 전적으로 시위의 자유가
보장된다

○ 이 사

UN 가입에 따라 ILO에도 가입할 것으로 보이는 데, ILO 관련
국제조약 등에 어느 정도 가입할 예정인가

○ 과 장

ILO 가입에 관한 주무부서는 노동부이며, 우리는 노동부와
이에 관한 공식적 의견교환을 하지 아니한 상태이므로
논평하기 곤란하다

○ 이 사

미전향수에 대하여는 다른 수용자들과 달리 특별규제가 가해
지는 것으로 알고 있는데, 사실인가

21

0038

o 과 장

사실과 다르다.

교도소내의 수형생활은 행형법을 근거로 하여 규칙, 지침 등에 따라 규율되는데, 미전향수에 대한 특별규제규정 등은 전혀 없다

o 이 사

미전향자는 모두 독방에 수용하고 있다고 알고 있는데 사실인가

o 과 장

일반적으로 독방에 수용하고 있다.

그 이유는 일반재소자들과 혼방하였을 경우, 다른 재소자들에 사상적으로 나쁜 영향을 미칠 가능성을 고려해서이다.

그러나, 미전향수가 독방수용으로 인하여 정신적 질환의 발생 가능성이 있고, 또 다른 재소자들과 혼방을 희망한다면 그들의 요구대로 해 준다.

다만, 미전향수끼리의 혼방은 어느 경우에도 불허하고 있다.

왜냐하면, 동조세력을 규합할 위험성이 있기 때문이다

o 이 사

잘 이해하겠다.

미전향수에 대하여는 노역을 시키지 않는다는 데 사실인가

ㅇ 과 장

그렇다.

노역장에서 다른 재소자와의 접촉위험성을 고려해서이다.

하지만, 전향수의 경우에는 노역을 시킨다.

귀하는 미전향수가 전에 어떠한 경력을 가지고 있는 사람들

인지 아는가

ㅇ 이 사

미전향수의 명단 등 신상에 관해서는 알고 있지만 구체적인

경력 등은 모른다

ㅇ 과 장

그들은 철저한 폭력혁명이론을 신봉하는 극단의 공산주의자

들로 모두 북한의 스파이 활동을 하다가 검거된 자들이다

ㅇ 이 사

미전향수가 전향을 하는지 여부는 그들 자신의 양심의 결정에

따라 결정해야 될 문제가 아닌가

23

0040

ㅇ 과 장

전향여부의 결정이 그들 자신의 순수한 양심에 속한 문제라는 것에 대해서는 동의한다. 어느누구도 전향을 강요하지 않는다. 하지만, 그들은 앞에서 이미 언급한 바와 같이, 한국내에서 폭력혁명을 기도하며 스파이 활동을 하다가 검거된 것이고, 또한 한국은 특수안보상황을 고려하여 국가보안법으로 한반도 내에서 북한의 선전선동활동을 용납하지 아니하는 정책을 가지고 있다. 간단히 말하여 그들은 명백한 실정법 위반으로 처벌받고 있는 것이므로 형기를 마치면 당연히 출소한다.

ㅇ 이 사

미전향수들은 전국에 분산수용되어 있는가

ㅇ 과 장

아니다.
대전교도소 한 곳에 모아서 수용하고 있다

ㅇ 이 사

그러면, 미전향수에 대한 교도소내의 처우는 누가 결정하는가, 그리고, 독방수용과 같은 처우가 변경될 가능성은 없는가

○ 과 장

미전향수에 대한 교도소내의 처우는 전적으로 교도소장이 결정한다.

따라서, 이론적으로만 본다면 교도소장의 교도정책철학에 따라 미전향수에 대한 처우가 달라 질 수 있다.

예컨대, 주위 재소자나 사회에 사상오염 등의 위험성이 없다고 판단될 경우 혼방이나 일반사회와의 접촉은 가능할 것이다.

그러나 보다 더 근본적인 문제로는 실제로 북한간첩에 대한 한국민의 기본관념이 변화가능한가 하는 문제가 있다.

북한의 남침야욕과 북한정권의 잔인성 등을 6.25사변 등으로 몸소 체험한 한국민에게 북한간첩이야말로 지구상에 존재하는 가장 위험한 존재라는 생각은 쉽게 변치 아니하리라 본다.

따라서, 미전향수에 대한 일반사회 접촉 등의 처우변경은 가까운 시일내에는 그 가능성이 없다고 생각한다

○ 이 사

앞으로 구체적 개별사건에 관하여 필요한 정보제공으로 협조해 줄 수 있겠는가

25

0042

ㅇ 과 장

물론 기꺼이 협조해 줄 용의가 있다

ㅇ 이 사

인권과의 주된 업무는 무엇인가

ㅇ 과 장

인권옹호업무로서 그 중에서도 법률구조가 주업무이다

ㅇ 이 사

법률구조란 무엇인가

ㅇ 과 장

법률상 무지와 경제적 어려움 때문에 법률의 보호를 받지
못하는 저소득층에 대한 법률상담, 소송구조 등이다

ㅇ 이 사

매우 흥미로운 업무이다.
국제인권규약 가입시 유보한 4개조항중 1개조항을 철회한
것으로 알고 있는 데, 나머지 3개조항도 철회할 계획이 있는가

26

0043

ㅇ 과 장

현재로서는 위 3개조항에 대한 유보를 철회할 예정은 없다.

ㅇ 이 사

여성차별철폐협약, 인종차별철폐협약 등에 가입할 예정이 있는가

ㅇ 과 장

위 협약 등에는 이미 가입하였다

ㅇ 이 사

재소자 접견시 교도관이 입회하여 그 대화내용을 청취하는 등 접견권을 제한하는 것으로 알고 있는 데, 입회이유는 무엇이며 이를 폐지할 용의는 있는가

ㅇ 과 장

재소자 접견시 교도관이 입회하는 이유는 위험물, 흉기, 금지물품 등을 반입할 우려가 있기 때문에 이를 사전에 방지하기 위한 보안상 목적이 있고, 교도관이 접견내용을 청취하는 등 접견권을 제한한다는 것은 사실과 다르다.

27

0044

보통 교도관 1명이 수십명의 재소자 접견을 담당하며 접견실 내에서도 4-5미터 이상 멀리 떨어져 동인들의 동정만 주시할 뿐, 그 대화내용을 청취하는 등으로 접견권을 제한하지는 아니한다.

미국에서도 그런 형태로 교도관이 입회하는 것으로 알고 있다.

○ 이 사

미국에서도 그런 형태로 접견시 교도관이 입회하는 것은 사실이다.

그러나 변호인 접견이 제한된다고 하는 데, 그 이유는 무엇인가

○ 과 장

경찰수사단계에서 간혹 수사상 이유로 변호인 접견이 지연되는 경우가 있었으나 교도소에서는 변호사 접견이 제한된 사례가 없다

○ 이 사

교도소에서 도서열독이 허용되는가

○ 과 장

공산주의서적을 제외하고는 모든 도서열독이 허용된다

0045

o 이 사

재소자에 대한 면회가 가능한가

o 과 장

미결수에 대하여는 매일 가능하고, 기결수에 대하여는 행형 성적에 따라 면회횟수가 결정된다

o 이 사

가족에 대해서만 면회가 허용되는 이유는 무엇인가

o 과 장

재소자 교화상 가족 이외의 제3자에게 면회를 허용하면 공범 등이 면회를 통해 악성을 감염시킬 우려가 있으므로 원칙적으로 이를 제한하나 실무상 폭넓게 면회를 허용하고 있다

o 이 사

민간단체가 조사를 위하여 재소자를 면회하는 것이 허용되는가

0046

○ 과 장

수사경찰관 등 공무원이 공무수행을 위하여 재소자를 면회하는 것은 허용되나 민간단체가 재소자를 조사하는 것은 허용되지 아니한다.
이는 민간단체 조사활동의 객관성, 공정성을 담보할만한 아무런 장치도 없기 때문이다

○ 이 사

교도소에는 파트타임으로 일하는 의료진이 있는 것으로 알고 있는 데 사실인가

○ 과 장

잘못 알고 있다.
교도소에는 그 시설규모에 따라 전문의사가 재소자의 의료 업무에 풀타임으로 종사하고 있다

○ 이 사

병든 재소자는 외부병원으로 후송치료되기도 하는가

ㅇ 과 장

일차적으로 교도소내 병원에서 치료하고, 부득이한 경우에는 외부병원으로 후송하여 치료하며, 진료비는 전액 국가가 부담한다.

ㅇ 이 사

오늘 보의는 매우 유익하였다.
앞으로도 계속 협력해 주면 감사하겠다.

ㅇ 과 장

우리는 언제라도 진지한 논의를 할 용의가 있다.
그러나, 다시 한번 지적하고 싶은 것은, 예컨대 발간된 AI의 한국관련 레포트를 면밀히 검토해 보면 몇몇 문제에 관해 기술하면서 아무런 이론적 근거의 뒷받침도 없이 편향, 왜곡되게 작성된 부분이 있었다.
특히, 양심수 문제나 재소자들에 대한 고문, 학대문제에 관하여는 막연한 추정과 아무런 근거의 제시도 없이 객관성을 결여한 채 잘못 설시되어 있었다.
그와 같이 지극히 일방적으로 주관적인 관점에서 잘못 서술하게 된 이유야 여러가지가 있겠지만, 사전에 우리가 충분한 토론을 통해 귀하에게 위와 같은 문제들을 이해시키지 못한 것도 그 이유중의 하나라고 생각한다.

31

0048

어떤 종류의 보고서나 평가서이든지, 가장 중요한 점은 그 서술된 내용의 객관성과 인용된 자료의 정확성이 담보되느냐에 있다고 본다.

다시 한번 강조하지만, 한국의 인권상황에 관하여 언급할 때는 그 당사자인 한국정부가 제시한 자료와 그 입장을 충분히 분석 고려하여 반드시 서술내용의 근거로서 뒷받침되어야 한다고 본다.

따라서, 앞으로 AI 레포트 기재내용에 한국정부의 입장도 반드시 언급되기를 기대한다.

그리고 한가지 부탁할 것은, AI 대표단이 금년 7월 I.U 총회때 공식적으로 북한을 방문하여 그곳의 인권상황에 관계되는 자료를 입수하였다고 알고 있는데, 가능하다면 본인에게 위 자료를 1부 보내주었으면 한다.

귀하도 잘 알고 있다시피 북한은 극도로 폐쇄된 사회이기 때문에 그곳의 자료는 사실상 입수가 불가능한 형편인데 비해, 이와 반대로 북한은 남한의 모든 자료를 거의 아무런 제한없이 이용하고 있다.

이와 같은 사정을 감안하여 북한의 관련자료를 조속히 송부해 주었으면 매우 감사하겠다.

o 이 사

잘 알겠다. AI레포트는 최대한 객관성을 기하겠으며 북한자료 협조문제는 담당자와 협의해 보겠다.

관리 번호	91 — 2

원 본

외 무 부

종 별 :

번 호 : UKW-1944 일 시 : 91 0924 1200

수 신 : 장관(연일,정특,기정)

발 신 : 주 영 대사

제 목 : A.I.인사면담

대: 국연 2031-32813

연: UKW-1373(1), 1809(2)

1. 당관 이서기관은 9.23(월) 국제사면위 MS.F.VANDALE 한국담당관을 면담, 대호 석방탄원 대상자에 대한 범죄사실, 처리현황 및 정부입장을 설명하였음.

2. 동 담당관은 아측의 협조에 사의를 표하며, 한국정부가 과거보다 적극적으로 A.I. 에 관련자료를 제공한다는 것은 한국의 인권상황이 개선되었음을 의미한다고 생각한다면서 앞으로도 긴밀한 협조관계를 유지하기를 희망함.

3. 이서기관은 우리정부가 A.I. 에 대하여 적극적으로 업무협조를 하고있는데 비하여, A.I. 는 간혹있는 우리의 요청에 대하여 다소 소극적인 태도를 취하고 있는 느낌이 든다고 하면서 연호(1) 북한 헌법등의 사본입수 가능성을 타진하였는 바, 이에 동 담당관은 북한 헌법 사본 1 부 (91 년도판)를 이서기관에게 전달하면서 (동 헌법 사본 1 부 금파편 송부함) 여타 민법.형법등은 A.I. 자체 검토가 끝난뒤 적절한 시기에 보내주겠다고 양해를 요청함.

4. 이서기관은 지난 5 월 한국의 국가보안법 개정 및 국가보안법 위반자에 대한 특별관용조치등 사실이 아직 A.I. 보고서에 언급된바 없음을 지적하자, 동 담 당관은 아국정부에 의한 인권개선을 위한 상기 2 개의 조치는 92 년도 발간 월례보고서에 언급될 것이라고 답변함. (연호(1) 참조)

5. 연호(2) HOFFMAN 일행의 9 월중 방한결과에 관한 문의에 대하여, 동 담당관은 A.I. 에서의 자체검토가 끝난 다음에 다시 논의하자고 말함. 끝

(대사 이홍구-국장)

예고: 91.12.31 일반

일반문서로 재분류 (1991.12.31.

국기국 장관 차관 1차보 외정실 청와대 안기부

PAGE 1

91.09.25 02:37

외신 2과 통제관 CD

0050

법 무 부

인권 2031- 13872 503-7045 1991. 9. 27.

수신 외무부장관

참조 국제연합제2과장

제목 국제사면위 (AI) 인사 방한관련 자료 송부

금번 AI인사 방한과 관련, 동 인사의 당부 방문후 추가 요청한 자료를 별첨 송부하오니 AI 조사연구원 (Clare Mcvey)에게 전달될 수 있도록 조치하여 주시기 바랍니다.

첨 부 : 관련자료 1부. 끝.

법 무 부 장

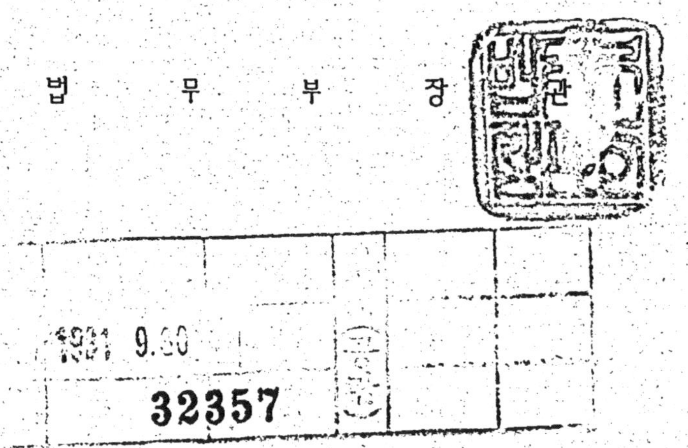

0051

공 란

방한 AI이사 (Paul Hoffman) 법무부 인권과장 면담내용

(91.9.17)

1. AI측 제기사항

가. 노조 정치행위의 금지

- 노조원 최재호의 지방의회의원 선거법위반 구속사례

나. 국가보안법 위반 사범에 대한 보석불허 사유

다. 국가보안법하에서의 표현의 자유문제

- 서울사회과학연구소 사건
- 표현의 자유에 관한 한국정부 입장이 국제적 기준에 위배되며 객관적이 아님.

라. 범민련 사건내용

마. 서준식 재구속 사유

- 보안관찰법 시행이유
- 본인의 폭력시위 관련여부

바. 집회허가를 하지않는 경우가 많은 사유

- 시위중 반국가정책 주장은 무방함.

사. 미전향수에 대한 특별 규제여부

- 독방수용 및 노역금지
- 미전향수의 전향 여부는 양심의 결정에 따를 문제임.
- 향후 구체적 개별사건에 관한 정보제공 협조요청

아. 재소자 처우문제

- 재소자 접견시 교도관 입회문제
- 변호인 접견 제한이유
- 도서열독 여부
- 민간단체대표의 면회가능여부
- 교도소 의료시설

0053

2. 법무부 입장

가. 표현의 자유

- 표현의 자유는 절대적 자유가 아니며 국가의 존립, 안전을 위해 법률로 제한될 수 있는 내재적 한계가 있음.
- 표현의 자유와 관련, 표현된 내용의 전부적.행동적 특징 및 동표현방식상의 문제가 고려되어야 함.

나. 집시법 내용설명

다. 미전향수 문제

- 전향여부의 결정은 자신의 순수한 양심에 속한문제임.
- 미전향수에 대한 일반사회 접촉 제한정책 견지

라. AI보고서 문제

- 보고서 내용의 객관성과 정확성이 필수적임.
- AI보고서 내용에 한국정부 입장이 반드시 언급되기를 요청
- 북한관련 자료제공 요청

마. 기타

- 기타 AI제기사항에 대해 상세설명. 끝.

0054

2 [handwritten]

원 본

외 무 부

종 별 :

번 호 : UKW-2380　　　　　　　　　　일 시 : 91 1129 1700

수 신 : 장 관(국연,구일,영사)

발 신 : 주 영대사

제 목 : 국제사면위 직원방한

92.1.24-31간 방한 예정인 아래 당지 국제사면위(AI) 직원에게 체류자격 9-4, 30일기한의 단기바자를 발급하였음을 보고함.

1. 성명: MR.NIKHIL ROY (인도국적, 영국 장기비자소유)

2. 생년월일: 1960.8.223. 직책: AI 사무국 직원

4. 방한목적(AI 서한상)

-한국내 AI 회원 증원문제와 관련한 행정 및 조직문제 협의

-여타 지역의 양심수를 위한 한국내 AI지지자들과의 협의 (AI의 한국내인권문제와는 상관 없음을 부언)

5. 방한기록: 90.1월 및 7월, 91.2월

6 체한시 숙소: 서울 서린호텔 (732-6000)

7. 국내 연락선

-DR.CHO HYO-JE (171-5 PA-DONG, SUSONG KU, DAEGU, KOREA)

-KIM HYUN-SUL (C/O IBM KOREA INC.P.O. BOX 700, SEOUL, KOREA)

-OH WAN-HO (704-082 DAISU-GU APT.5-502, DAEGU, KOREA).끝

(대사 이홍구-국장)

국기국　1차보　구주국　영교국　외정실　안기부

PAGE 1

91.11.30　08:36 WH

외신 1과 통제관

0055

외교문서 비밀해제: 한국 인권문제 3
한국 인권문제 국제사면위원회 방한 및 대응 1

초판인쇄 2024년 03월 15일
초판발행 2024년 03월 15일

지은이 한국학술정보(주)
펴낸이 채종준
펴낸곳 한국학술정보(주)
주 소 경기도 파주시 회동길 230(문발동)
전 화 031-908-3181(대표)
팩 스 031-908-3189
홈페이지 http://ebook.kstudy.com
E-mail 출판사업부 publish@kstudy.com
등 록 제일산-115호(2000. 6. 19)

ISBN 979-11-7217-057-8 94340
979-11-7217-054-7 94340 (set)